Kinderen cadeau

Yolan Witterholt

KINDEREN CADEAU

Een boek voor eigentijdse stiefmoeders

Spectrum

Uitgeverij het Spectrum
Postbus 2073
3500 GB Utrecht

Eerste druk 2006
Tweede druk, 2007
© 2006 Yolan Witterholt
Omslagontwerp en ontwerp binnenwerk: Petra Gerritsen
Druk: Wilco, Amersfoort

ISBN-10: 90 274 2525 6
ISBN-13: 978 90 274 2525 6
NUR 854
www.spectrum.nl

Voor mijn moeder:

mijn klaagmuur
mijn klankbord
mijn critica
mijn collega

INHOUD

1

HUISELIJKE HARTSTOCHT

Het vinden van een nieuwe partner is een kwestie van geluk,
van toeval of een samenloop van omstandigheden. Maar als
dat alles dan eindelijk gelukt is, al dan niet expres, komt men
vaak voor een nieuwe hindernis te staan. De kinderen! Hoe
reageren deze kleine monstertjes op de nieuwe partner van hun
vader of moeder? Hoe reageren de partners zelf op de eventuele
wederzijdse kinderen?

Uit: De Boze Stiefmoeder, www.loesje.info, 11 december 2004

Het licht van de felle februarizon valt door de open gordijnen naar binnen en verlicht mijn vrolijk gekleurde dekbedhoes. Heel even vraag ik mij af waarom de gordijnen niet gesloten zijn, en waarom ik niets aanheb, maar ik voel direct het warme, sterke lijf van Tom naast mij in bed en kijk opzij. 'Hai,' fluistert hij glimlachend. Het verbaast me bijna dat ik niet verschrikt uit mijn bed spring en iets aantrek. Hoe wonderbaarlijk snel kun je vertrouwd raken met je eigen naaktheid in de aanwezigheid van een nieuw mannenlijf. 'Hoi,' grijns ik toch een beetje onzeker, want hoe weet ik of hij zich net zo voelt als ik? Als ik zijn ogen over mijn lichaam zie gaan, houd ik onwillekeurig toch mijn buik een beetje in: zo gemakkelijk voel ik me toch ook weer niet.

Jarenlang heb ik gedacht dat seks aan mij gewoon niet besteed was: ik was er te nuchter voor. Natuurlijk kon ik het kunstje wel vertonen, maar hartstocht? Passie? Niks voor mijn Groningse geest. Maar na een nacht met Tom weet ik beter: geen moment heeft mijn nuchtere ziel mij in de weg gezeten; probleemloos heb ik mijzelf overgegeven, zonder enige gêne en zonder kritische gedachten. Schaamte over mijn lichaam, dat in geen jaren was aangeraakt door mannenhanden, heb ik geen moment ervaren: vanaf de eerste seconde heeft hij me het gevoel gegeven dat ik prachtig ben. De handen van Tom voelen zacht en krachtig tegelijk terwijl ze de borsten strelen die ik altijd wat spottend bejegend heb vanwege hun bescheiden formaat. 'Wat er niet is, kan ook niet hangen!' zei ik ooit treiterend tegen een vriendin met indrukwekkende cupmaat. 'Wacht maar tot we veertig zijn!' Onder deze handen voelen mijn borsten opeens alsof ze toch serieus genomen mogen worden. Ik wil deze man niet meer kwijt. De kinderen zijn bij Willem en we hebben nog de hele dag de tijd.

Maar als we een uur later weer uitgevreeën zijn, staat Tom opeens op: 'Ik moet wat eten en ik ga hardlopen.' Wat een akelige nuchterheid. Probeert hij aan me te ontsnappen? Dat eten begrijp ik nog, want hij heeft suiker, maar waarom moet er op een dag als vandaag gerend worden? Vanzelfsprekend zeur ik nergens over: als ik zijn nieuwe liefde wil zijn, moet ik hem toch vooral in zijn waarde laten. Geen spoor te bekennen van de bitch die ik op het eind van mijn mislukte huwelijk was. Glimlachend sta ik dus op om koffie te zetten, en nog geen half uur later geeft hij me een wat onhandige zoen bij de voordeur: 'Nou, ik kom je van de week ongetwijfeld wel ergens tegen,' zegt hij grijnzend, en voor ik het weet is hij verdwenen.

Verbouwereerd sluit ik de deur achter hem: moet ik nu wachten tot we elkaar toevallig tegenkomen? Herinneringen aan een stoere bink uit een hogere klas dan ik, die op schoolfeesten met mij naar buiten verdween maar me vervolgens niet eens meer groette, komen onwillekeurig bij mij op. Ik was het stuk ellende volkomen vergeten. Als je negenendertig bent overkomt zoiets je toch niet meer? Na al die jaren van onthouding val je toch niet voor een onenightstand met een vader van vriendjes van je kinderen? Ik ben er aardig van in de war en loop de hele dag in mijzelf te mopperen: Jezus, wat heb je nu weer laten gebeuren? Stom wijf! Zie je nou dat seks louter ellende is?

Als alle sporen van mijn romantische nacht zijn uitgewist en ik ontnuchterd klaarzit voor de terugkomst van de kinderen, gaat de telefoon. Het is half vijf in de middag. 'Ik was bang dat je me niet zou bellen,' zeg ik voor ik er erg in heb. Daar gaat mijn onafhankelijke pose; wat doe ik?!! 'Ik wilde je al veel eerder bellen,' grinnikt hij zachtjes, 'maar ik was bang dat je me dan een muts zou vinden. Ik loop al uren om de telefoon heen.' Samen lachen we, en ik weet dat het goed zit: ik heb een nieuwe man.

Een nieuwe liefde is op zichzelf al een ingewikkelde zaak, maar als er direct ook al kinderen in het spel zijn, verandert je wereld in een volkomen onoverzichtelijke chaos. Jarenlang runde je je leven als een manager en speelde de liefde hooguit een rol in je moederschap, maar verder niet.

Ondergoed werd steeds comfortabeler, in je neus peuteren bij een film op de bank gaf geen enkel probleem en keihard in steenkolen-Italiaans meezingen met een cd in de auto kon gewoon, desnoods vals. Voor een auto of fiets vol kinderstoeltjes geneerde je je geen moment, en als het koud was trok je in bed simpelweg een degelijk nachthemd en desnoods ook nog sokken aan. Harige oksels en benen kregen pas weer aandacht als de zomer in aantocht was, evenals de slordig gelakte teennagels, en als je tegen je kinderen snauwde, was er niemand (hooguit je moeder) die je fronsend bekeek. Je zette jezelf op de automatische piloot en functioneerde naar behoren zonder dat je er veel over na hoefde te denken. En keek er op een onbewaakt moment eens een man naar je of werd er op een stralende lentedag vanuit een auto eens naar je gefloten, dan ontlokte dat je hooguit een schamper lachje: op hol geslagen hormonen! Je raakte zo gewend aan een leven zonder seks, dat de barrière op weg ernaartoe steeds hoger leek te worden, en tegelijkertijd steeds minder de moeite waard om te nemen. Wat een gedoe! En wat een onzin toch eigenlijk ook, al dat gehijg en gesjor voor het beetje genot dat een mens zichzelf ook met groot gemak kan bezorgen. Mannen kwamen steeds verder van je af te staan, en ook als je met een man in een leuk gesprek gewikkeld was, kon je je vaak onmogelijk voorstellen dat je je door die mond zou laten zoenen of door die handen zou laten strelen.

Het eerste wat me opviel toen Tom een avond voor een wijntje bij me zat in de periode dat hij met Hanna in scheiding lag, was dat ik me er tot mijn verbazing wel degelijk iets bij kon voorstellen toen ik naar zijn mond keek. Zes jaar lang had ik gesprekjes met die mond gevoerd, en nooit eerder was de gedachte bij me opgekomen, maar nu opeens kon ik mijn ogen er niet van afhouden. Terwijl hij maar doorpraatte over de onbegrijpelijkheid van zijn echtscheiding, fantaseerde ik stiekem over zijn mond op de mijne. Beschaamd stelde ik vast dat mijn lijf kennelijk zo aan een man toe was, dat ik nu het eerste het beste exemplaar dat naast mij op de bank had plaatsgenomen al wilde grijpen.
Hij hoorde formeel nog steeds bij Hanna en was bovendien absoluut mijn type niet, maar het was wel duidelijk dat ik misschien maar weer eens wat meer open moest staan voor mannen in het algemeen. Toen Hanna de volgende dag vroeg hoe het was geweest en grapjes maakte over een relatie tussen haar toekomstige ex en een vriendin, antwoordde ik cynisch: 'Ik geloof niet dat het hem is opgevallen dat ik een vrouw ben.' Maar nu, niet veel later en slechts enkele maanden na hun scheiding, ligt hij naast me.

Tom en ik spreken in eerste instantie af dat we onze relatie nog even geheim zullen houden voor de kinderen, maar al na drie dagen geeft hij het op. Terwijl Ellen een pizza bij me zit te eten, belt hij me: 'Ik heb het de jongens verteld. Ik kon het niet meer voor me houden, het voelde als liegen.' Ik schrik er om de een of andere reden zó van, dat Ellen in lachen uitbarst: 'Jezus, wat héb je! Je bent knalrood opeens!' Tom ziet mijn rode hoofd niet en gaat onverstoorbaar verder: 'Zelfs op mijn werk moest ik me beheersen om de vergadering niet te onderbreken en te zeggen: "Jongens, ik heb een belangrijke mededeling: ik ben verliefd."' Als ik opgehangen heb, dringt het goed tot me door: Tom heeft de hele keten in gang gezet: als zijn kinderen het weten, moeten mijn kinderen het natuurlijk ook weten, en moet iedereen het weten, inclusief de exen.

Weldra weet iedereen om ons heen wat er aan de hand is, en ik voorzie aan alle kanten een vernietigend oordeel: Zo kort na de scheiding van Tom al een relatie… Heeft ze Hanna soms listig een scheiding aangepraat? Hadden ze al langer wat? Ik weet dat het niet zo is, maar zou ik niet hetzelfde denken? Ellen maakt zich na de pizza fijngevoelig uit de voeten, en ik begin maar meteen bij mijn vier kinderen.

Die vinden het vooral een hilarisch verhaal: 'Haha! Mama verliefd! Op Tom nog wel!' Bij alle vier blijkt hij behoorlijk in de smaak te vallen, dus dat is alvast geen probleem. 'Als hij nu dus komt, moeten jullie niet gek opkijken als we elkaar zoenen, want dat hoort er natuurlijk bij. En hij zal ook wel geregeld blijven slapen, denk ik,' vertel ik, terwijl ik het me nog steeds maar moeilijk kan voorstellen dat mij echt zoiets moois overkomt. Ook het beeld van Tom in mijn bed werkt in eerste instantie vooral op de lachspieren. Zelfs hun eigen vader hebben ze daar de laatste vier jaren van ons huwelijk niet meer gezien, en een zoenende moeder kunnen ze zich al helemaal niet meer herinneren: dat wordt lachen! Dit is in het geheel niet volgens die paar boekjes die ik gezien heb. Het hoort moeilijk voor ze te zijn. De arme schapen realiseren zich nog niet de loyaliteitsconflicten waarin ze verzeild gaan raken, en de jaloezie die ze gaan voelen.
Dan staan die jongens van Tom toch meer met beide benen op de grond, want die hebben nou niet echt gillend enthousiast gereageerd. David heeft volgens het verslag van Tom voorzichtig gezegd dat hij mij 'niet zo gemakkelijk' vindt, en Max heeft eigenlijk alleen wat ongemakkelijk gegrijnsd en niets gezegd. Dat Tom met die twee jongens nu veel vaker bij ons zal komen en dat ze zelfs zullen blijven eten en slapen, blijkt voor alle betrokkenen gelukkig wel een vrolijk vooruitzicht.

Is verliefdheid op jonge leeftijd in eerste instantie vooral een bron van ellende en frustratie, van onzekerheid over jezelf en je lijf; op latere leeftijd is van al die narigheid niets over. Geen enkele noodzaak om eerst eens een tijdje stoer te doen alsof je niet geïnteresseerd bent, geen enkele reden om voor je vrienden of zelfs je moeder te verhullen dat je hem direct in je bed hebt toegelaten of dat je enorm verliefd bent. 'Hoe was je avond met Tom?' vraagt mijn moeder als ze haar nieuwsgierigheid niet langer heeft kunnen bedwingen en om een uur of twaalf belt. 'Hij is er nog,' deel ik haar mee terwijl ik lachend een hand op zijn buik leg. 'Oh! Dat hoopte ik al!' lacht ze bijna zondig. 'Nou, dan hang ik maar snel weer op!'

Als je bijna veertig bent, mag alles. Daar staat tegenover dat je, áls er kinderen in het spel zijn, als ouder een verantwoordelijkheid hebt die geen enkele jongere met zich mee hoeft te torsen. Hoe en wanneer vertel je het nieuws aan de kinderen? Hoe gaan ze reageren op een nieuwe man of vrouw in het grote bed, op een verliefde ouder en misschien ook op de jaloezie van de ex? Daar bestaan geen instructies voor; elk kind is anders en reageert anders. Maar welk kind vindt het níét ingewikkeld om direct na de scheiding van zijn ouders een nieuwe vrouw in het leven van zijn vader te zien stappen? En wie deelt probleemloos zijn moeder, die hij al jaren voor zichzelf heeft? Een moeder voor wie het leven tot die dag uitsluitend om de kinderen draaide?

Terwijl jij jubelend verliefd bent en je je nieuwe geluk het liefst van de daken schreeuwt, terwijl alles in je lijf tintelt en gloeit van opwinding, is uiterste zorgvuldigheid geboden. Dat is een lastige combinatie, en het is alleen maar menselijk als je er niet in slaagt om alles op het juiste moment in de juiste stand te hebben staan. Je komt van een vergadering in een bedompte ruimte vol zwetende collega's en verwacht binnen een kwartier je lief op de stoep, dus je rent naar boven om je tanden te poetsen, je op te frissen en je snel in een ongemakkelijke maar spannende string te hijsen, zodat je je geliefde geheel sexy en fruitig kunt ontvangen. Maar daar staat je dochter voor je neus, die je ábsoluut even het verhaaltje wil laten lezen dat ze schreef en dat zo veel succes heeft geoogst op school. 'Straks schat,' wil je ongeduldig zeggen, maar je realiseert je dat je straks al helemáál geen zin in dat verhaaltje zult hebben. Dus je pakt het heimelijk zuchtend van haar aan en kijkt het ongeconcentreerd door. 'Prachtig, meisje,' zeg je moederlijk, terwijl je nerveus een blik op de klok werpt en geen idee hebt waar het over gaat. Terwijl ze tevreden wegloopt, borrelt er een kolossaal schuldgevoel omhoog, dat je geïrriteerd wegduwt. En werkt je schuldge- voel niet automatisch, dan komt het vanzelf in actie door alle dringende adviezen van alle kanten, die je vooral vertellen dat je goed om de kinderen moet denken en rekening moet houden met de gevoelens van de exen. Alsof niemand weet dat een periode van verliefdheid juist per definitie een tijd is waarin het leven even uitsluitend om jezelf en je eigen gevoel draait. Direct na hartstochtelijke seks opstaan en verantwoord zorgen dat iedereen de deur uitgaat met keurig gevulde broodtrommeltjes of zelfs tijdens het vrijen gealarmeerd worden door het geluid van een kotsend kind: het is niet eenvoudig en het vergt vooral ook veel inlevingsvermogen van je geliefde.

Mijn 'partner in crime' en goede vriendin Caroline verkeert toevallig net op hetzelfde moment als ik in een soortgelijke situatie: al jaren geleden gescheiden en nu voor het eerst in lange tijd een man in haar bed. Onze exen zijn broers. Samen werden we moeder, samen raakten we gefrustreerd in de liefde en samen gaven we de brui aan het huwelijk. Wat heerlijk dat we nu net tegelijkertijd weer vrouw worden. Giebelend als pubers peuteren we de eerste string van ons leven tussen onze bilspleet uit en bespreken we aan de telefoon de meest effectieve manier van ontharen. Voor het eerst in onze lange vriendschap wordt seks een onderwerp van gesprek: het is alsof we gewoon weer opnieuw beginnen met de puberteit. Maar dan wel een heel leuke puberteit, met een heleboel zelfvertrouwen en veel zelfspot. Maar ook met een heleboel huis-, tuin- en keukenzorgen en verantwoordelijkheden waar we na al die tijd plotseling en hartstochtelijk geen zin meer in hebben.

Ook al ken je inmiddels elkaars lichaam en ook al weet je hoe iemand de liefde bedrijft: er zijn nog veel intiemere dingen en dingetjes die je van elkaar moet leren kennen. Als jonge meid worstel je al met verlegenheid als je vriendje per ongeluk je wc-geluiden hoort of als hij lacht om de precisie waarmee je bijvoorbeeld je strandlaken opvouwt, maar als doorgewinterde moeder zijn er nog veel meer dingen die je opeens onzeker kunnen maken. Jarenlang heb je je niet bekommerd om de indruk die je maakte tijdens je dagelijkse routine; je bent je er helemaal niet van bewust geweest dat je steeds meer op je moeder bent gaan lijken en dat je in veel dingen behoorlijk vertrut bent. De manier waarop je je kinderen knuffelt en waarop je gewend bent grapjes met ze te maken of op ze te mopperen, de manier waarop je zingt of voorleest, de suffe dingen die je gewend bent tegen ze te zeggen maar die nu opeens zo stompzinnig klinken, je vaste rituelen. Wat blijft er over van spannende romantiek als je behendig een enorme was staat te vouwen, plaatsneemt achter een strijkplank of op de rand van haar bed het vaste slaapliedje voor je jongste dochter zingt? Je ziet jezelf opeens door zijn ogen en je bent kritischer dan hij ooit zal zijn. Hoe buk je in je blootje zonder dat je buik in een verzameling vetplooien verandert? Hoe verberg je je soms zweterige handen zonder de indruk te wekken dat je geen contact wilt? Hoe voorkom je dat je als een schoolfrik klinkt als je 's avonds een veeleisende student aan de telefoon afpoeiert? Hoe houd je in godsnaam het beeld in stand dat hij na die eerste spannende nacht van je heeft gekregen? Maar ook: hoe vind jij het als zijn lippen een nachtzoen op die van zijn kinderen drukken? Hoe bevalt hij jou eigenlijk als hij in de weer is met borden en kopjes en de was van de kinderen sorteert?

Het ouderschap laat zich lastig vanuit een romantische invalshoek benaderen, en de realiteit dringt zich in een stiefrelatie onmiddellijk en meedogenloos aan je op. Je bent bovendien ongeduldig: bijna veertiger en lang genoeg ongelukkig geweest – er is geen enkele reden om tijd te verliezen en je wilt zo veel mogelijk bij elkaar zijn, waardoor je ook direct alles van elkaar ziet. En ruikt. Je werk is eigenlijk alleen nog maar een hinderlijke onderbreking van het samenzijn, maar tegelijkertijd rinkelen de alarmbellen (en stemmen van goedbedoelende adviseurs) in je achterhoofd: denk aan de kinderen! Laat je niet te veel meeslepen! Zij moeten de tijd hebben om te wennen!

Waarom? vraag ik mij in mijn geval al na de eerste week opstandig af. Draait mijn leven nu niet lang genoeg om die kinderen? Mag ik nu niet eindelijk weer eens aan mijzelf denken? En kijk toch eens hoe vrolijk ze zijn! Hoor ze lachen bij hun slaapfeestjes boven in een kamer propvol jongetjes; hoezo zielig? Maar zuchtend maken we de verstandige afspraken die dwars tegen ons gevoel ingaan, in het belang van de kinderen. Niet zozeer in dat van de mijne, die vinden dat het leven er in eerste instantie toch vooral een stuk feestelijker op is geworden, maar vooral dat van David en Max, de jongens van Tom, die nog maar sinds kort officieel in de categorie 'zielige kinderen' vallen. Chagrijnig geef ik ze in stilte de schuld van mijn eenzaamheid in de avond, en steeds vaker regel ik toch maar snel de buurjongen als oppas als alle kinderen al slapen, zodat we snel wat tijd hebben voor romantiek. Als een dief in de nacht fiets ik door de donkere straten naar het huis van Tom, voor een paar uurtjes liefde. Vol tegenzin ruk ik me weer van hem los om de buurjongen af te lossen, die al om half twaalf thuis moet zijn.

We doen wat we moeten doen, we geven de kinderen tijd, en het werkt. Ze raken gewend aan het nieuwtje en zitten niet meer verlegen naar elkaar te grijnzen als we staan te zoenen in de keuken. De regel die Tom grappend heeft ingesteld, 'Niet storen tijdens het zoenen!', geeft vooral veel aanleiding om ons schaterend te storen en om onbenullige dingen te vragen. Alleen mijn Sophietje kan er nog niet zo erg aan wennen. Als ze met haar vijf jaar op een dag achter ons zit te spelen terwijl we zoenen, zie ik opeens een gezicht vol afgrijzen: 'Gadverdamme, mama! Je doet je tóng in zijn mond!!!' De anderen beginnen al voorzichtig wat te puberen en kijken van zo'n zoen amper op; zij lijken zich wel te realiseren dat er meer gebeurt dan die tongzoen. Zonder dat er expliciete instructies aan voorafgaan, veranderen in beide huizen de slaapkamers van Tom en mij onverwacht snel in een 'no-go area': een gerespecteerd gebied, waar je niet zomaar binnendendert zonder kloppen.

Hoe je ook je best doet je kinderen op te laten groeien zonder een hoofd vol vraagtekens, en hoe bedreven je ook geraakt bent in het pokerface waar het gaat om schuttingtaal of lastige vragen: weinig kinderen zien hun vader of moeder als een wezen dat hartstochtelijk de liefde bedrijft. Je kunt je kinderen urenlang voorlichten en uitleggen hoe ze verwekt zijn, je kunt ze geduldig vertellen over de eerste ongesteldheid of de eerste zaadlozing waar ze niet van moeten schrikken en ze duidelijk maken dat homoseksualiteit prima is. Je kunt praten over seks wat je maar wilt, maar dat maakt je nog geen vrouw die passie aan den lijve ondervindt of opgewonden kan raken van een mannenlijf. Op het moment dat kinderen in een normaal gezin doordrongen raken van het bestaan van seks, zijn hun ouders doorgaans al vele jaren bij elkaar en is de wilde hartstocht ver te zoeken. Geen dagelijkse vrijpartijen meer midden op de dag, geen vonken die zo heftig overspringen dat ze zich amper kunnen beheersen, geen slaapkamergeluiden die zo zachtjes mogelijk getuigen van hoogtepunten in de vroege ochtend.

Voor de meeste kinderen is het enige slaapkamergeluid dat ze kennen het gesnurk van hun vader; dat geldt ook voor mijn nakomelingen en ik wil dat eigenlijk wel zo houden. Met al die beginnende puber-oren op steeltjes in huis is wat mij betreft dan ook geluidloze seks geboden, maar Tom is veel minder gereserveerd dan ik. Soms krijg ik zelfs heimelijk het gevoel dat hij het wel stoer vindt om vooral zijn zoons te laten weten hoe vaak en hoe graag hij 'het' doet. 'De mannen in mijn familie zijn enorme neukers,' grijnsde hij al tevreden op de tweede dag van onze relatie. 'Ik kan me nog goed herinneren dat mijn vader mij vroeger eens lachend vertelde hoe chagrijnig mijn opa op een ochtend was, omdat het voor het eerst in zijn leven niet gelukt was. Hij was toen 73!' Een libido van jewelste daar in de familie, en dat is kennelijk iets om trots op te zijn. Maar ik kom uit een heel ander gezin: ik herinner mij nog dat mijn zus mij in onze puberteit grinnikend vertelde dat mijn vader zich had laten steriliseren en dat ik mij stilzwijgend en stomverbaasd afvroeg waarom hij dat in godsnaam gedaan had: die twee hadden toch zeker allang geen seks meer? Had hij een vriendin? Een moeder – mijn moeder – deed niet aan seks. En ik ga er nu het liefst van uit dat mijn kinderen er net zo over denken, terwijl ik ook wel weet dat dat weinig waarschijnlijk is. Want ze zien hoe dan ook dat we elkaar voortdurend aanraken en zoenen, en de grapjes van Casper van tien als we zondags tot twaalf uur in bed blijven liggen maken ook wel duidelijk dat de wereld minder naïef geworden is.

Wennen is het wel, voor een moeder zoals ik. Mijn hele leven heb ik mij geërgerd aan de preutse geremdheid van mijn eigen moeder, maar nu kom ik mezelf toch tegen. Als we op een avond nog wat zitten na te tafelen met een wijntje en elkaars bovenbenen stiekem wat zitten te kneden, vertellen de kinderen dat er straks een leuke film op televisie komt. Tom veert opeens opgewekt op en zegt tot mijn ontsteltenis heel zakelijk: 'Oké, ruimen jullie met z'n allen de tafel af en kijk daarna maar naar die film. Wij gaan nu naar boven om even lekker te vrijen.' Alleen de geamuseerde grijns van Casper verraadt dat de boodschap is overgekomen: de anderen reageren niet anders dan ze gedaan zouden hebben als we hadden aangekondigd dat we de garage gingen opruimen.

Ik onderdruk een zenuwachtige giebel, grijns wat ongemakkelijk en laat mij gegeneerd zwijgend door Tom aan de hand meevoeren naar boven, terwijl hij snel nog even een glas wijn volgiet en meeneemt. Boven draaien we voor alle zekerheid toch maar even onze deur op slot, hoewel we zeker weten dat er niemand zal komen. Want als je niet mag storen onder het zoenen, dan is het wel duidelijk dat storen nu allerminst handig is. Vrijen op een moment als dit voelt net zo ongepast als neuken met je nieuwe vriendje terwijl je ouders beneden zitten. Het warme gevoel van opwinding dat ik nog voelde aan tafel met de hand van Tom op mijn dij, is weg. Ik glimlach wat ongemakkelijk: 'Kunnen we dit wel maken?' 'Natuurlijk wel,' verzekert Tom mij lachend. 'Ze mogen toch wel weten dat bij liefde ook vrijen hoort? Daar is toch niets mis mee?' Nee, in theorie niet. En is het niet prachtig dat mijn kinderen nu wél gaan leren dat seks bij het leven hoort, net als lekker eten of een avondje uit? In theorie wel, ja. Maar met de echte hartstocht wil het bij mij toch niet meer zo lukken: ik voel me vooral ongemakkelijk bloot zo op de vroege avond.

Harde Feiten over Echtscheidingen

Het aantal echtscheidingen is in 2005 voor het eerst sinds jaren weer toegenomen, zo laten cijfers van het CBS zien. Tussen 2001 en 2004 daalde het aantal van 37.000 naar 31.000 per jaar, maar in 2005 nam dat aantal weer toe, tot 33.000. De meeste scheidingen zijn zogenoemde 'flitsscheidingen'. Bij een flitsscheiding is er geen tussenkomst van de rechter nodig: het huwelijk wordt eerst omgezet in een geregistreerd partnerschap en kan daarna worden ontbonden.

In meer dan de helft van de gevallen heeft het huwelijk op het moment van scheiding al minstens 10 jaar geduurd. Vrouwen dienen twee keer zo vaak een verzoek tot echtscheiding in dan mannen. Eén op de drie eerste huwelijken loopt uit op een echtscheiding. Twee van de drie tweede huwelijken mislukt, en dan vooral als er kinderen in het spel zijn.

> **Top vijf van redenen die mannen en vrouwen in 2005**
> **opgaven voor de scheiding:**

1. Botsende karakters (zeggen mannen even vaak als vrouwen)
2. Een buitenechtelijke relatie (iets vaker genoemd door de man)
3. Op elkaar uitgekeken (vaker genoemd door de man)
4. Onverenigbare toekomstplannen (vaker genoemd door de man)
5. Lichamelijk geweld (aanzienlijk vaker genoemd door de vrouw)

Uiteraard kan een scheiding meerdere redenen hebben. Opvallend is dat 'verslavingsproblemen' tien keer zo vaak door vrouwen worden genoemd dan door mannen.

Hoger opgeleide vrouwen lopen meer risico op scheiden dan andere vrouwen en dat risico geldt vooral wanneer ze hoger zijn opgeleid dan hun man. Bij mannen geldt dit verschil niet. Na de scheiding heeft een kleine helft van de exen in het eerste jaar nog redelijk tot goed contact, of er nu wel of geen kinderen zijn. Zijn die er wel, dan is het contact direct na de scheiding in meer dan de helft van de gevallen echt slecht (35%), of helemaal weg (20%).

> **Nieuwe relatie**

Een jaar na de scheiding woont één op de drie alweer samen met een nieuwe partner; slechts 1% is dan alweer getrouwd.

Binnen zes jaar na de scheiding woont 75% van de mannen samen met een nieuwe partner; voor vrouwen is dat 65%.

Uiteindelijk trouwt 54% van de mannen weer, en 44% van de vrouwen.

2

HOGE VERWACHTINGEN

Veel vrouwen willen het omgekeerde van het sprookje in praktijk brengen. Gaan zelfs zo ver dat ze de stiefkinderen meer aandacht geven dan hun eigen kinderen.(…) Als een moeder achterblijft, gaat men ervan uit dat ze zich redt. Als dat een vader overkomt, maakt iedereen zich zorgen. En als er een nieuwe vrouw is, zijn alle ogen op haar gericht. Zij moet zorgen dat alles weer goed komt.

Mieke Grandjean in het artikel *De Nieuwe Mama, stiefmoeder in de 21ste eeuw*, www.angelfire.com

Een zachtjes schuifelend geluid op de parketvloer van mijn slaapkamer dringt heel voorzichtig door tot mijn onderbewustzijn. Droom ik, of is er leven in mijn slaapkamer buiten dit bed? Muizen zijn het in ieder geval niet. Tom ligt onbeweeglijk naast me, en zijn ademhaling klinkt rustig en veilig in de donkere nacht. Ik zal het me wel verbeelden. Maar dan valt me op dat er zacht licht binnenvalt van de overloop, terwijl de deur dicht was toen we gingen slapen. Ik spits mijn oren, en voordat ik kan bepalen wat ik nu precies gehoord heb, klinkt opeens de warme stem van Tom gerust-stellend door de donkere nacht: 'Kom maar.' Op hetzelfde moment slaat hij het dekbed uitnodigend open. Mijn dekbed. Ik til mijn hoofd met een ruk op en zie daar Max van acht staan, die aanstalten maakt om bij ons in bed te stappen. De wekkerradio laat zien dat het bijna vier uur in de nacht is. 'Nee!' Ik schiet overeind en zit klaarwakker rechtop. 'Geen kind in mijn bed, Tom. Echt niet,' zeg ik nu rustig maar heel beslist. Tom kijkt me verbaasd aan maar ziet direct dat het mij ernst is, en met een hand op Max' schouder houdt hij hem nu zachtjes tegen. In één klap val ik van mijn leuke-moedervoetstuk.

Weet Tom veel hoeveel strijd ik jarenlang geleverd heb met Anouk om haar in haar hardnekkigheid buiten mijn bed te houden, weet hij veel hoe ongelooflijk veel slaap ik tekort ben gekomen al die jaren door krijsende, kotsende en opdringerige kinderen in de nacht. En hoe ik ze aldoor weer terugbracht: soms geduldig, soms woedend, soms moedeloos en soms zelfs huilend van uitputting, omdat ik eenvoudigweg niet kon slapen met een kind naast mij. Hoe ik 's ochtends de halve uurtjes en uurtjes bij elkaar probeerde op te tellen om te bepalen hoeveel tijd ik slapend had kunnen doorbrengen en hoe de nachten door mijn volharding uiteindelijk weer voor mij werden.

Nu staat er een jongetje van acht jaar oud naast mijn bed. Niet mijn jongetje. Zijn ouders zijn nog niet lang gescheiden en zijn vader ligt bij mij in bed. In het donker van de nacht heeft Max beneden in die grote slaapkamer vol jongens opeens zijn vader gemist. Of gewoon zijn eigen bed in zijn eigen kamer in zijn eigen huis. Zijn oude leven is weg: zijn eigen moeder woont in een vreemd huis tussen geleende spullen, zijn vertrouwde huis bij zijn vader lijkt wel aldoor leeg en hij weet vaak 's morgens niet waar hij 's avonds zal slapen. Nu, midden in de nacht in het vreemde huis waar hij vroeger alleen kwam om met mijn Flip te spelen, wil hij even tegen zijn vertrouwde vader aankruipen en de oude veiligheid voelen. Maar ik steek er een stokje voor. Ik laat het niet toe.
Hoe moet die jongen begrijpen dat ik zo verschrikkelijk gevochten heb om de privacy van dit bed te bewaken? Ik heb niet alleen mijn kinderen vanaf de kraamweek uit dit bed geweerd, ook mijn ex werd er ruim voor onze scheiding al uit verdreven. Mijn bed was mijn plek. Het enige stukje van het huis waar kinderen en ex niets te zoeken hadden, het plekje waar ik mij jaar na jaar, avond na avond, verdrietig, woedend, bang of moedeloos in tranen terugtrok en nachtenlang lag te woelen en te piekeren: scheiden of niet? Mijn plek. Tom is de eerste in vele jaren die ik heb toegelaten, en hij begrijpt zwijgend de ernst van mijn reactie. Met zachte hand stuurt hij Max terug naar de jongenskamer: 'Ga maar weer lekker slapen, joh.'
Braaf maar niet gelukkig daalt het jongetje de trap weer af, en heel even heb ik het gevoel dat ik op het nippertje aan een nederlaag ontsnapt ben: mijn bed is mijn bed gebleven. De overwinning smaakt echter weinig zoet, en ik kruip aarzelend tegen mijn nieuwe man aan. Hij zucht en omarmt me zwijgend; samen luisteren we hoe de deur van de jongenskamer zachtjes sluit. Ik voel het opeens heel duidelijk: ik wil samenwonen en een einde maken aan deze logeerpartijen, ik wil van mijn bed 'ons bed' maken. Het zal mij automatisch stiefmoeder maken van de twee jongens van Tom. Stiefmoeder.

'Wil jij later kinderen?' Welk meisje hoort de vraag niet in haar leven? Ik ken er maar één op de hele wereld die hem al op driejarige leeftijd resoluut beantwoordde met 'Nee!' en nooit meer van gedachte is veranderd: mijn zus. Ze wilde ze niet, ze kreeg ze niet en ze had geen spijt. Groot was dan ook de hilariteit toen ze op veertigjarige leeftijd toch nog op de vraag naar haar plannen met kerst moest antwoorden: 'De kleinkinderen komen.' Zelfs zij kreeg op een dag, volkomen ongevraagd, een stel vrolijke pubermeiden in de schoot geworpen als onverwachte extra's bij haar nieuwe liefde. Stiefkinderen doemen zomaar opeens op in alle mogelijke gedaanten, en kunnen ook zomaar weer uit je leven verdwenen zijn. Welk meisje kreeg ooit de vraag voorgelegd of ze 'later' stiefmoeder wilde worden?

Wie zwanger is, of wil worden, en op het punt staat het mysterieuze rijk der moeders te betreden, vreet informatie als een labrador hondenbrokken. Bronnen zijn er genoeg, en als opererend in een grootscheeps complot voorzien ze je van de valse voorlichting waar je naar snakt: het moederschap is louter prachtig, ontroerend en hartverwarmend. Niets over zenuwslopende darmkrampen, gekrijs in de nacht, angst voor koortsstuipen; niets over de onafgebroken stromen snot, kots, tranen en oorsmeer; niets over zwemles. De rooskleurige voorstelling van zaken is nodig om de soort in stand te houden. Tijdens je zwangerschap zul je je beter voelen dan ooit, levenslust hebben voor twee, zwangere vrouwen zijn buitengewoon prachtig en je partner zal volautomatisch veranderen in een zorgzaam type. Niets over humeurige huilerigheid en twijfels of je die baby eigenlijk wel wilt, niets over het verval van je jonge lijf en maagzuurproblemen, niets over vette haren en plotseling terugkerende pukkels. Een bevalling is een wonderschone gebeurtenis waarbij je de hevige pijnen moet zien als indrukwekkende oerkrachten die dienstdoen als prachtige ervaring. Je man zal zich als bij toverslag ontpoppen als de papa uit de roze bladen: liefdevol zet hij kopjes thee voor je, hij puft genoeglijk met je mee tijdens het moment suprême en draagt de pasgeborene 's nachts gedienstig en geheel vrijwillig voor je aan ter voeding. Niets over chagrijnige mannen die eindelijk wel weer eens seks willen, niets over ongeïnteresseerd in tijdschriften bladeren tijdens jouw weeën of luid snurkende mannen die met geen stok wakker te krijgen zijn terwijl hun nakomeling ligt te krijsen om eten.

Als de verhalen geloofwaardig genoeg gepresenteerd zijn, voel je je al snel een mislukking: waarom voel ik mij niet roze, met een haarband en kittig zwangerschapsjurkje, maar hobbel ik humeurig boerend rond in een joggingbroek? Waarom vond ik de bevalling alleen maar een hel en is uitgerekend mijn man niet wild van bewondering over mijn fantastisch moederschap? Voor je het weet slaat de depressie toe, maar Moeder Natuur maakt zich al geen zorgen meer: de voortplanting is geslaagd, en wat er daarna met je huwelijk gebeurt zal haar een rotzorg zijn. In mijn ogen verdient elke vrouw minimaal twee mannen in haar leven; eerst de vader van haar kinderen en daarna haar grote liefde. De eerste krijgt in ruil voor alle kwellingen van zwangerschap en babytijd een stel kinderen voor het leven; de tweede krijgt haar herwonnen libido en met een beetje mazzel haar eeuwige liefde.

Heb je eenmaal een kind gebaard, dan ben je voor altijd moeder. En wat Moeder Natuur betreft rest jou na de geboorte van je kind nog maar één belangrijke taak: je wordt geacht je nakomeling in leven te houden, minimaal tot de volgende voortplantingsronde. Dat dat geen eenvoudige klus is, weet iedere ouder, want het kind doet tegelijkertijd om de een of andere reden zijn uiterste best je tegen te werken. Zet een pup van een paar weken boven aan een trap en hij zal geen stap vooruit doen, in de instinctieve wetenschap dat die hem fataal zou kunnen worden. Mijn zoon van nog geen jaar kroop echter in volle vaart op de afgrond af en kon nog maar net op tijd aan een enkel gegrepen worden voordat hij op zijn hoofd de lange, rechte trap af zou stuiteren. Instinct wordt het mensenkind steeds vreemder: met graagte stort hij zich van klimrekken, loopt hij in de regen longontsteking op of werpt hij zich lachend voor een bus – om nog maar niet te spreken van drugs en scooters op latere leeftijd.
In het moederschap overheersen akelig vaak de wanhoop, angst en moedeloosheid. Zeg ik dus over een paar jaar tegen mijn dochter: 'Kind, begin er niet aan: het is één en al angst en frustratie?' Welnee. Ik zal automatisch deel uitmaken van het grote roze complot, haar het moederschap in lokken en volkomen vergeten zijn hoe ik, ongemakkelijk op mijn hechtingen zittend, aan argeloos kraambezoek vertelde: 'Het is erger dan in je ergste nachtmerries!' Valse voorlichting voorkomt dat de soort uitsterft.

Als stiefmoeder heb je met de instandhouding van de soort op het eerste gezicht niets te maken, en hoewel een traphekje ook de stiefmoeder niet misstaat, rust er op jou vanuit natuurwetten bezien niet de morele plicht om je stiefkinderen in leven te houden. Vandaar dat boze stiefmoeders in sprookjes, in het gemis van moederinstinct en morele moederplichten, hun stiefkinderen zonder problemen alle zorgzaamheid onthouden en ze ongegeneerd misbruiken voor de rotklussen. In moderne tijden kom je daar weliswaar niet meer mee weg, maar toch kwam uit onderzoek naar voren dat kinderen in stiefgezinnen aanmerkelijk meer kans hebben op ongelukjes dan kinderen die bij hun twee eigen ouders wonen. Vermoedelijk rechtvaardigt dat het ingebouwd wantrouwen dat je nieuwe partner direct bij aanvang van je nieuwe taak aan den dag legt. Hij zal je niet slechts overladen met liefde en hartstocht, maar je vooral ook onwillekeurig en voortdurend in de gaten houden. En dat is wennen. Want je zocht liefde en een man, en 'geen kinderen' was daarbij geen enkel bezwaar geweest. En hielden mannen zich voorheen na een scheiding nog bescheiden op de achtergrond als de wat onhandige weekendvader, de co-ouderende vader van vandaag overweegt geen moment zijn kinderen zomaar bij zijn ex achter te laten of achteloos aan jou over te leveren. Vol overgave stort hij zich in de vaderliefde en ambitieus neemt hij zich voor niet alleen de beste vader van Nederland te worden, maar vooral ook de beste ouder van zijn kinderen. In een romance met stiefkinderen is het je – zo niet direct dan toch al heel snel – duidelijk: jij komt op de tweede plaats. 'Ik zal je nooit dwingen tot een keuze tussen mij en je kinderen,' sprak ik in de eerste weken van onze romance omfloerst en edelmoedig. Dankbaar keek Tom mij aan, niet vermoedend dat ik er heimelijk achteraan dacht: ik zou namelijk gek zijn, want ik zou het onherroepelijk tegen ze afleggen.

Zo prachtig als de voorlichting eruitziet die op je afkomt als je het moederschap overweegt, zo beangstigend is deze wanneer je op het punt staat stiefmoeder te worden. Hoewel de samenleving doordrenkt is van het beeld van de boze stiefmoeder (ook in het moderne boek *De Stiefmoeder* van Simon Tolkien is ze nog altijd een moordzuchtig mens), en je je dus wel wat kwaadaardigheid zou moeten kunnen permitteren, lijkt voor iedere vrouw die je erover spreekt direct vast te staan dat je een nobele doch zware taak op je gaat nemen. Eigenbelangen dienen zo snel mogelijk vergeten te worden, en de zorgelijke gezichten die waarschuwend vragen of je niet beter apart kunt blijven wonen, hebben daarbij dan ook niet jouw welzijn voor ogen maar dat van kinderen die ze vaak nog nooit gezien hebben.

Levert het moederschap volgens je omgeving vooral veel prachtigs en wonderschoons op, het stiefmoederschap geeft met name verplichtingen en zware verantwoordelijkheden. Als jij in je egoïstische zucht naar liefde van hun vader per se in het leven van die kinderen wilt treden en hun de rust wilt ontnemen die ze zo nodig hebben, dan laad je de verantwoordelijkheid op je om ze te overstelpen met liefde, geduld en begrip. Je zult een halve heilige moeten zijn, en je eigen behoeften moeten wegcijferen voor die van je stiefkinderen. Want hoe hip en geëmancipeerd we met z'n allen ook zijn: kinderen moeten het kennelijk toch nog altijd hebben van de vrouw in hun leven, al is het maar een stiefmoeder. En in de blijheid van je nieuwe liefde knik je braaf dat je die arme kinderen, die zo verstrikt zijn geraakt in de strijd tussen hun ouders, wel eens even zult opvangen. Dat duiveltje in je hoofd, dat zich afvraagt waarom je dat eigenlijk zou doen en waarom je geliefde ze verdomme niet gewoon aan hun eenzame moeder schenkt, leg je streng het zwijgen op. Je bent verliefd geworden op een man, niet op zijn kinderen, maar je begrijpt al snel dat je je nieuwe liefde op je buik kunt schrijven als je niet héél hard je best gaat doen om van zijn kinderen te houden. Je barst dan ook van de goede bedoelingen.

Heb je zelf ook al kinderen, dan weet je natuurlijk heel goed dat goede bedoelingen niet automatisch tot goede resultaten leiden. Want ondanks alle energie die je gestopt hebt in het opbouwen van hun zelfvertrouwen en zelfredzaamheid, zijn het toch ook als pubers nog steeds vooral hulpeloze klunzen die bij elk probleem veranderen in hoopvol naar je opkijkende kleuters. Ondanks al je aandacht voor wederzijds respect en de beschaafde omgang schelden ze elkaar met enige regelmaat en zonder de geringste aanleiding uit voor rotte vis, en ondanks al je mooie ideeën vooraf bespeelt geen enkel kind een muziekinstrument en zitten zelfs je dochters op voetbal. Gaat het om je eigen kinderen, dan beschik je over de vrijheid om je eigen falen glimlachend te beschouwen en onophoudelijk je verwachtingen bij te stellen. Mislukken je goede bedoelingen als stiefouder echter, dan gaat je dat al snel je relatie kosten. De kunst is dus vooral om die bedoelingen niet ál te mooi te maken en ze reëel te houden. In de weinige informatieve bronnen die er zijn over het stiefouderschap kom je de cijfers aldoor weer tegen: twee op de drie tweede huwelijken lopen stuk op de (stief)kinderen. Terwijl de liefde voor de eigen nakomelingen in een normaal gezin een bindende factor is, drijft diezelfde liefde in het geval van stiefkinderen al snel een wig tussen beide partners.
'Pas op dat je je eigen kinderen niet boven die van hem stelt!' adviseerde mijn ruim negentigjarige oma mij direct bezwerend toen ik haar vertelde over mijn nieuwe gezin. En om te demonstreren dat ze het goede voorbeeld wist te geven, had ze vanaf dat moment altijd zes zakjes chips voor onze kinderen klaarliggen, ook als ze wist dat de jongens van Tom er helemaal niet bij zouden zijn. De twee overgebleven zakjes werden als kleine heiligdommen, als bewijsstukken van hun lidmaatschap van de familie, meegetroond naar huis (terwijl mijn kinderen er tijdens de lange autorit kwijlend naar staarden) en aan de rechtmatige eigenaars overhandigd. 'Je

moet zorgen dat ze er nét zo bij horen als je eigen kinderen,' bezwoer oma mij. Een volkomen onuitvoerbare opdracht. Jarenlang stop je al je liefde, al je emotie, al je zorgzaamheid en al je energie in je eigen kinderen. Je peutert het snot uit hun neus als ze klein zijn en je maag draait zich om van de zenuwen als je ze niet direct kunt vinden als ze buiten spelen. Een griep kan elk moment omslaan in een hersenvliesontsteking en je kind kan zomaar stikken in zijn eigen kots. Als het eens misgaat en de kots druipt van de trap of de meubels, dan ruim je dat zonder kokhalzen op, want in je moederliefde voelt ook hun onsmakelijkheid als 'eigen'.
Hoe zou je je eigen kinderen in hemelsnaam níet boven de nieuwkomers kunnen stellen? Zodra je dergelijke geniepige adviezen serieus neemt, ben je gedoemd te falen. Lap je ze echter al te openlijk en te direct aan je laars, dan krijg je het al snel aan de stok met je partner. Want ook hij huldigt in zijn onderbewustzijn het idee dat een stiefmoeder op haar minst de indruk moet wekken dat ze als een heuse moeder van zijn kinderen houdt.

'Vergeet niet dat dit een heel lastige situatie is voor die kinderen van hem hoor, zo kort na de scheiding; je moet echt alle begrip tonen als ze het moeilijk hebben,' vertelt je beste vriendin je voor haar doen onverwacht streng en gebiedend. Met opgetrokken wenkbrauwen kijk ik haar aan: is er nog iemand die zich in míjn kant van de zaak verdiept? Kan zelfs mijn goede vriendin zich niet voorstellen hoe het moet zijn om van de ene op de andere dag een stel kinderen op je nek te krijgen, alleen maar omdat je verliefd bent geworden? En hoe denkt zij dat het voor mijn eigen kinderen is, al die wisselingen en die indringer in ons huis opeens, die aldoor aan hun moeder zit? Waarom wijst iedereen me aldoor uitsluitend op mijn stiefkinderen? En wie wijst Tom eens op die van hem? Heeft een stiefmoeder zo veel meer verantwoordelijkheid dan een stiefvader? Waarom gaat alle sympathie uit naar de nieuwkomers? Ben ik zo'n draak?
Terwijl iedereen jubelt hoe gewéldig het van Tom is dat hij er zomaar vier kinderen bij neemt, verwacht de mensheid dat er in mijn hart volop plaats is voor kinderen van een ander. Dat ik de beschikking heb over een flinke portie begrip en geduld, die ik nu mooi kan inzetten. Maar ga er maar aanstaan. Net als je de hele kudde kinderen naar boven gebonjourd hebt en de stilte in het huis is neergedaald, net als je je op de bank bij kaarslicht heerlijk in de armen van je man genesteld hebt en verrukkelijk zit te zoenen, doemt je snikkende stiefzoon als uit het niets op. Het eerste wat je dan wilt doen? Helemaal niet begripvol reageren, maar geïrriteerd 'Sodemieter nou eens op!' roepen. Maar dat kun je beter niet doen, want als stiefmoeder heb je direct een achterstandje weg te werken. Welk kind

denkt niet direct aan griezelige sprookjes, wie koppelt niet automatisch 'boze' aan 'stiefmoeder'? Welk kind wil er graag eentje hebben? Vanaf de eerste dag heb je de taak om aan de hele wereld te laten zien dat je deugt. Het is alsof je als nazi moet aantonen dat je politiek correcte ideeën hebt. 'Ik heb zo'n moeite met de overgang,' snikt het jochie, dat die middag gearriveerd is met een reistasje vol kleren en knuffels. Het modern co-ouderschap dwingt het arme kind voortdurend tot omschakelen en afscheid nemen en geeft hem geen moment de tijd ergens rust te vinden. Twee keer per week is het tijd om over te schakelen: van oudste zoon naar 'één van de zes' en weer terug. Tijd voor een goed gesprek en geruststellende woorden; weg romantiek en opkomende hartstocht. Je nieuwe geliefde, die je zojuist nog zulke spannende woordjes in je oor fluisterde, zit opeens rechtop en beoefent vol overgave het goed vaderschap. En als stiefmoeder zit je erbij, kijk je ernaar en voel je je buitengesloten. Maar je zwijgt en je glimlacht. Want een stiefmoeder leert al snel haar gevoelens voor zich te houden, haar ergernissen in te slikken en haar zielenroerselen zo omfloerst mogelijk in de groep te gooien. Alles omwille van de liefde.

Wat is een stiefmoeder? *Een tweede moeder*, vertelde mijn Dikke van Dale mij droog toen ik zocht naar enige helderheid over mijn nieuwe functie, *'met betrekking tot een kind uit een vorig huwelijk van de vader.'* Wat Van Dale betreft ben je geen stiefmoeder als je nieuwe liefde in het verleden verzuimd heeft de biologische moeder van zijn kinderen te huwen. En daarbij gaat het wat dit woordenboek betreft om een zuivere heterokwestie, terwijl de wet inmiddels al bepaald heeft dat ook de lesbische (en officiële) partner van een biologische moeder binnen de categorie stiefmoeder valt. Ook zij is iemand die wel volwaardig functioneert als moeder, die wel de financiële verantwoordelijkheid heeft en die wel de uitputting van het moederschap kent, maar niet de beloning van de herkenning en de troost van de bloedband krijgt. De tweede betekenis die Van Dale noemt, biedt mij op een avond als deze volop gelegenheid om mij als stiefmoeder buiten het gesprek tussen vader en zoon te houden: ik ben namelijk een *liefdeloze, hardvochtige moeder*, althans in *figuurlijke zin*. Bij wijze van spreken, zeg maar.

Het woord 'stiefvader' krijgt in het woordenboek dezelfde negatieve lading als tweede betekenis, maar met betrekking tot mannen is het gebruik in die betekenis volgens Van Dale wel *oneigenlijk*. Over het stukje 'stief' geeft het omvangrijke naslagwerk niet veel helderheid. Een 'stief kwartiertje' blijkt, in tegenstelling tot wat ik altijd dacht, een *ruim kwartier* of *dik kwartier* te zijn, maar ik herinner me de stiefmoeder van Assepoester toch vooral als spichtig type en zelf val ik ook best mee. Het etymologisch woordenboekje (12e druk, 1979) van dr. J. de Vries, een overblijfsel uit mijn studie, biedt meer en legt geduldig uit dat het in de geschiedenis van *steupa* via *stump* naar *stief* gegaan is en dat de betekenis gezocht moet worden in *afgestompt, beroofd van*. Meer helderheid is niet nodig: als je met enige regelmaat geduldig glimlachend moet wachten tot je geliefde in de late avond eindelijk uitgevaderd is en je al je ergernissen en jaloezie netjes hebt ingeslikt, voel je je inderdaad ernstig beroofd van alle roman-tiek en ligt afstomping op de loer.

Mijn reactie op de top tien van 'aandachtspunten voor stiefgezinnen'

(Deze top tien is samengesteld door Ietje Heybroek-Hessels, in: *Samen Gesteld – de dynamiek van het stiefgezin*, 2004.)

1. Een stiefgezin is geen kerngezin (traditioneel gezin) en wordt dat ook niet.

Overal lees je dat stiefmoeders de verwachting hebben dat ze een volkomen normaal gezin zullen vormen met hun stiefkinderen, en klakkeloos wordt die aanname overal overgenomen. Vervolgens zou die verwachting voor problemen zorgen, omdat deze niet reëel blijkt. Ik heb echter nog nooit een stiefmoeder gesproken die van zichzelf de verwachting had dat ze als een echte moeder van haar stiefkinderen zou gaan houden. Sporadisch kom je er eens eentje tegen op een website voor stiefmoeders. Je hebt vanaf de eerste dag te maken met de echte moeder (behalve als die gestorven is), en dat maakt direct duidelijk hoe de realiteit eruitziet. Dat wil niet zeggen dat stiefouders niet steeds op zoek zijn naar een samenlevingsvorm die alle betrokkenen zo veel mogelijk rust en harmonie biedt, maar dat heeft met irreële verwachtingen niets te maken. Hooguit met een nobel streven, dat net als zovele andere nobele strevens gedoemd is te mislukken.

2. Probeer met zijn allen te praten (houd elke week/maand een vergadering en laat iedereen zeggen wat hij/zij kwijt wil zonder dat de anderen oordelen).

Tussen volwassen partners is het al een bijna ondoenlijke klus om niet te oordelen wanneer de ander zegt wat hij op zijn lever heeft, maar kinderen zijn daar al helemaal niet toe in staat. Je kunt ze natuurlijk verbieden te reageren op wat er gezegd wordt, maar dat houdt dan alleen in dat oordelen niet worden uitgesproken. Na de vergadering gaat iedereen zijn weg: boos, teleurgesteld, verdrietig, gekwetst, geïrriteerd of misschien gewoon verward, en worstelt een ieder in stilte met zijn gevoel – niet alleen de kinderen; ook de volwassenen. Het is absoluut belangrijk dat er in een stiefgezin (en in elk ander gezin) een open sfeer is, waarin een ieder mag zeggen (en niet krijsen) wat hem dwarszit of wat hij voelt, maar dan vooral ook graag op het moment dat hij het voelt en niet pas drie weken later, wanneer er een vergadering gepland staat.

3. Kijk de kat uit de boom als stiefouder. Dus moeder of vader niet te snel. Stiefmoeders storten zich vaak in een zorgende rol en stiefvaders kunnen zich verliezen in het vestigen van hun gezag door te gaan letten op de regels in huis. Neem de tijd.

Een advies dat lijkt overgenomen uit een boekje uit de vijftiger jaren. Het clichébeeld dat vrouwen zich zo snel mogelijk in de verzorging storten en dat mannen het liefst direct met de vuist op tafel slaan, is bijna lachwekkend. Dat je niet direct in de rol van echte ouder moet willen springen, ligt voor de hand. Je stiefkinderen zullen je die plek niet alleen in het begin zelden willen geven; vermoedelijk krijg je hem helemaal nooit. En je moet hem dus ook niet ambiëren. Zoek een eigen plek, met een eigen rol.

Wordt vervolgd op bladzijde 73

3

RAADSELACHTIGE REACTIES

Er zijn dus meer families bij het gezin betrokken dan bij het oorspronkelijke kerngezin. Al deze families kijken over de schouder mee hoe dit nieuw-samengestelde gezin zich organiseert. Bovendien hebben ook de buren, de schooljuf, vrienden en vriendinnen hun mening over het nieuwe gezin.

Uit: *Opvoeden in nieuw-samengestelde gezinnen*, Inge de Waele, *Kiddo* 1 februari 2001.

'Ik ga niet samenwonen met je moeder,' zegt Tom plompverloren terwijl ik de auto net mijn nieuwe oprit naar de allereerste garage in mijn leven opdraai. We hebben het al meerdere malen over samenwonen gehad en hebben daarbij vanzelfsprekend uitgebreid de consequenties voor de kinderen besproken. Tom blijkt net zo hebberig en gretig te zijn als ik: heb je eenmaal je grote liefde gevonden, dan wil je die ook aldoor en altijd. Maar daar blijkt hij nu opeens heel anders over te denken, en ik voel heftige irritatie omhoog komen.

Dat mijn moeder er vaak is, kan ik niet ontkennen. Nou én? Dat is nu eenmaal zo gegroeid in de jaren na de dood van mijn vader, die mijn moeder in een vacuüm achterliet. Haar helpende hand en gezelligheid waren mij in een stukgelopen huwelijk meer dan welkom, en zo kreeg oma verbijsterend snel en geruisloos steeds meer plek in ons gezin, steeds meer invloed en steeds meer macht. Tijdens verbouwingen stond ze hele dagen met een kwast op ladders en tussendoor gaf ze tonnen aandacht aan de kinderen, terwijl ze Willem sommeerde boodschappen te doen. Na de scheiding veegde ze het gezin op gezette tijden vrijwel letterlijk op; met de jas nog aan pakte ze een afwasmachine uit, waarna ze doorraasde naar de wasmachine en hoofdschuddend de grote berg was die zich daarvoor verzameld had wegwerkte. Honderden boekjes werden voorgelezen, puzzeltjes gemaakt, fruithapjes bereid en ik genoot intussen van de mogelijkheid om naar Albert Heijn te gaan of een hond uit te laten zonder dat ik vier kinderen hoefde mee te slepen. En elke keer als ze de grens van mijn incasseringsvermogen had bereikt met lief bedoelde bemoeizucht en zuchtend commentaar op mijn moederschap, ging ze weer weg; terug naar de Achterhoek. Degenen die zich erover verbaasden dat ik zo geduldig met mijn veelvuldig aanwezige moeder aan mijn zijde door het leven schoof, hadden geen idee van het leven van een alleenstaande moeder met vier kleine kinderen en een drukke baan. Als je de uitputting nabij bent, is redding zeer welkom, zeker van iemand met wie je de onbegrensde liefde voor je kinderen deelt.

En nu niet alleen de moeder, maar ook de vrouw in mij gered is door een heerlijke man, en ik het gevoel heb dat alles op zijn plek valt nu ik bijna veertig ben, krijg je godverdomme dit. De oude vertrouwde bemoeizucht van mijn moeder is Tom in het verkeerde keelgat geschoten, en zijn schouders erover ophalen is kennelijk geen optie. Niet iedereen heeft de kalme plank voor het hoofd die Willem daar zo comfortabel had zitten. Ik heb Tom al meerdere malen zijn wenkbrauwen zien fronsen als ze weer een ouderwets betweterige oneliner tevoorschijn haalde, maar ze blijkt nu definitief de fout in te zijn gegaan toen ze zich ging bemoeien met de indeling van de kinderkamers en daarbij mijn nieuw verworven stiefzoons er wat bekaaid af wilde laten komen. Tom is van het impulsieve en bovendien strenge soort en heeft zijn beslissing al genomen: het samenwonen gaat wat hem betreft niet door.
Nog voor Tom heeft kunnen uitstappen, start ik de auto weer en ik rijd achteruit de weg weer op. De woede spuit bijna uit mijn oren, de vloeken en tirades stapelen zich op in mijn hersenen en tranen van wanhoop over zo veel onredelijkheid smaken inmiddels al zout in mijn keel, maar ik beheers mij nog even. We kunnen zo niet naar binnen, waar mijn moeder nietsvermoedend op de bank zit en ongetwijfeld gaat vragen of we eigenlijk wel brood in huis hebben of iets dergelijks. Op een parkeerplaats in het bos zet ik de auto neer, en terwijl ik de motor afzet begin ik, uiterlijk nog steeds ijzig kalm, aan onze eerste knallende ruzie.

Toen ik mijn allereerste zoon kreeg van Willem (ik was veertien), vertelde ik thuis dat ik verkering had. Mijn moeder sprak op de haar zo vertrouwde vrolijke wijze de historische woorden tot mijn zus: 'Och gut, heeft ze een keer een kusje gehad, denkt ze meteen dat ze verkering heeft.' Ruim 23 jaar later en vier kinderen verder werd de echtscheiding uitgesproken. Tussendoor had ik naast een paar losbandige scharrels slechts één andere heftige liefde, waarvan ik direct wist dat er geen toekomst in zat, hoe hartstochtelijk verliefd ik ook was. Mijn gevoel bedriegt mij niet. En nu weet ik het wéér zeker: Tom is een blijvertje.

Kies je op je zestiende een vriendje, dan kleven daar hooguit een paar nieuwe en te verwaarlozen ouders aan vast die je nog niet kent maar die je gerust 'stom' mag vinden, want dat doet je vriendje zelf ook. Zijn vrienden ken je al, want daar heb je hem tussenuit gezocht, en broers en zussen ken je doorgaans al van school. Maar verbind je je als dertiger of zelfs veertiger aan een man, dan heb je vaak geen idee van het arsenaal van mensen dat aan hem hangt en hoe welkom ze je zullen heten. Ergens in je achterhoofd zitten wel zijn kinderen en het besef dat die wel onverbrekelijk met hem verbonden zullen zijn, maar verder gaan de gedachten nog niet. Waar je geen moment bij stilstaat op die eerste ochtend waarop je elkaar verliefd in de ogen kijkt, is wat er allemaal nog meer op je afkomt. Allebei heb je een hele verzameling mensen in je kielzog, en iedereen zal je nieuwe relatie als groot nieuws beschouwen. Ik herinner mij de woorden van mijn moeder, toen ik mijn voornemen om te gaan scheiden met haar besprak. 'Ik weet het niet hoor, meid,' sprak zij met zorgelijk gelaat, 'je gaat wel een eenzaam leven tegemoet, want waar vind je ooit een man met vier kinderen?' Mijn grapje dat ik die helemaal niet wilde, omdat ik acht exemplaren wat te veel van het goede vond, ging geheel aan haar voorbij. En het drong ook niet tot haar door dat het misschien wel wat onaardig was om nog geen kwartier later te vertellen over een dochter van een vriendin, die ook gescheiden was en drie kinderen had. 'Leuke meid, had natuurlijk zó weer een man!' Mijn verzuchting: 'Tja, natuurlijk, als je maar een leuke meid bent, hè?' kreeg geen reactie. En nu heb ik dus zonder zoeken opeens een man gevonden die mij zó'n 'leuke meid' vindt, dat hij geen drie, maar zelfs vier kinderen op de koop toe neemt.

Wie na jarenlang eenzaam geworstel met het moederschap een nieuwe liefde vindt, heeft nieuws. En in je vrolijke verliefdheid ga je er gemakshalve luchtig van uit dat iedereen jouw nieuws ook góéd nieuws zal vinden. Is het tenslotte niet prachtig dat je eenzame bestaan, waarin je jaar in jaar uit uitsluitend leek te functioneren ter meerdere eer en glorie van je nageslacht en waarin elke vorm van romantiek ontbrak, nu doorbroken wordt? Is het niet geweldig dat er iemand van je houdt en je al wat minder strakke moederlijf begeert? Je verwacht louter positieve reacties van de mensen die je lief zijn.

En in eerste instantie krijg ik die positieve reacties ook. Maar het kritiekloze enthousiasme dat mij ten deel valt is bijna verdacht. Alsof niemand gedacht had dat ik ooit nog eens aan de man zou geraken, word ik alom bejubeld: 'Goh, wat léúk!' En als ik Ellen grinnikend verslag doe van mijn eindeloze liefdesnacht waarin we van geen ophouden wisten, schatert ze dat ik ook wel 'een achterstandje weg te werken' had. Niets dan hilariteit. Wanneer ik haar erbij vertel dat Tom mij werkelijk geen moment irriteert, reageert ze haast bewonderend en geamuseerd tegelijk: 'Meen je dat nou? Dan zou ik hem maar houden!' Voor een snel geïrriteerd mens als ik lijkt het inderdaad een buitenkansje dat ik niet mag laten lopen. Maar het gemak waarmee mijn nieuwe liefde door haar zelfs telefonisch vanuit Den Haag wordt goedgekeurd, bevreemdt mij toch. Hoe kritisch bekeken wij vroeger elkaars geliefden niet? Een vriendje moest precies de goede kleren aanhebben, je moest je ermee kunnen vertonen in het uitgaansleven (waar hij weliswaar stoere drankjes moest drinken maar niet al te dronken mocht worden) en hij mocht geen verkeerde dingen zeggen, van rare muziek houden of politiek foute ideeën hebben. Een potentiële vader voor je kinderen moest weer aan heel andere eisen voldoen: hij moest op z'n minst bereid zijn wat energie in een carrière te steken en een goed figuur hebben, terwijl oubollige kleding of bekrompen politieke ideeën hem al wat minder zwaar werden aangerekend. Belangrijk was vooral de vraag of hij een leuke vader zou zijn, of hij attent voor je zou zijn als je zwanger was en of hij bereid en in staat zou zijn de verantwoordelijkheden te delen, terwijl de mogelijkheid dat hij vreemd zou gaan uitgesloten moest lijken. Ben je eenmaal een eind richting de veertig en slaag je erin om na je scheiding een tweede man te vinden, dan wordt hij plotseling en door iedereen probleemloos en in één oogopslag goedgekeurd. 'Respect voor de keuze van de vriendin' is het motto. Is hij dik en kaal, dan heeft hij ongetwijfeld een prachtig gevoel voor humor of een razende intelligentie en kijkt hij wat suffig uit zijn ogen, dan is het vast een lieverd waar de kinderen veel aan zullen hebben. Heb je toch nog enige twijfel, dan vegen je vriendinnen die met één grote zwaai van tafel. Terwijl ik ervan overtuigd ben dat Tom voor geen van mijn vriendinnen voldoet aan het beeld van de ideale man, zijn ze unaniem in hun lofzang: leuke man, lekker ding, prachtige ogen. En ik weet toch zeker dat ze hem al meerdere malen zijn tegengekomen bij kinderfeestjes in mijn huis, en dat niemand mij toen gevraagd heeft wie toch dat lekkere ding met die prachtige ogen was.

Waar komt de klakkeloze acceptatie vandaan? Leeft er inmiddels zo veel vertrouwen in mijn oordeel? Heeft een gescheiden vrouw juist niet laten zien dat haar oordeel te wensen overliet toen ze jaren geleden de verkeerde keuze maakte? Moet juist zij niet extra behoed worden voor een nieuwe vergissing? Of moet ze blij zijn met alles wat ze kan krijgen, omdat ze als moeder van een stel kinderen goed beschouwd nogal kansloos is

op de mannenmarkt? Maakt het niet uit wat zij vangt, omdat alles beter
is dan het alleenstaand moederschap? In vervlogen tijden was dat ongetwijfeld het geval. Beelden van oude en weerzinwekkende boeren (waar
heb ik die vandaan?) die zo nobel zijn om de jonge alleenstaande moeder
te huwen en haar ondertussen eigenlijk alleen maar gebruiken als gratis
hulp of hoer, doemen op. Zit diep in de moderne vrouw met haar aca-
demische carrière nog altijd dat idee dat je blij moet zijn als je 'onder de
pannen' bent, zelfs al verdien je meer dan je vader ooit verdiend heeft? Of
is een seksleven tegenwoordig zo belangrijk dat elke man met libido winst
is? Ben je als vrouw hoe dan ook onvolledig zonder man en moet je dus
gewoon pakken wat je pakken kan? Heb ik dat wellicht ook gedaan, vraag
ik mij in alle ernst af.

Waarom werd ik na al die jaren toevallig precies verliefd op die ene man
die in zijn eentje een wijntje kwam drinken? Ik ken hem toch al zes jaar
en heb nooit eerder erotische gedachten aan de vader van David en Max
gewijd; waarom begeer ik hem zo plotseling, nu hij eenmaal vrij is? Bén ik
wel zo verliefd eigenlijk? De vlinders in mijn buik, de talloze blikken op
de klok als hij er niet is en de elektrische geladenheid tussen onze licha-
men vertellen mij van wel. Dat ik als nieuwsfreak opeens geen moment
belangstelling kan opbrengen voor kranten en televisie en hele avonden
in de grote bruine ogen van mijn geliefde staar, wijst toch ook wel in die
richting.

Zelfs mijn kritische zus, die tot op heden mijn weinige verliefdheden steevast wist te verpesten met een paar overkritische opmerkingen, is razend
enthousiast. 'Glenn zei het al!' jubelt ze voor haar doen buitenproporti-
oneel blij. '"Nu je zusje een nieuw huis heeft, heeft ze ook heel snel een
nieuwe man: let maar op. Ze is toe aan nieuwe dingen."' Glenn als waar-
zegger. Zijn tatoeages, die mijn Flip op driejarige leeftijd ooit de verbijs-
terde vraag 'Ben jij helemaal in de stempels?' ontlokten, passen er wel bij.
Als we kort na het begin van onze romance onze opwachting bij de grote
zus maken, kan ze geen andere kritiek bedenken dan: 'Hij knippert zo raar
weinig met zijn ogen!' Daar kan ik mee leven.

Uit geen enkele eerste reactie blijkt het besef dat Tom en ik toch wel een
ingewikkelde kwestie bij de hand hebben, met kinderen en stiefkinderen,
nieuwe schoonouders, jaloerse exen en mogelijke verhuizingen. Behalve
uit die van mijn moeder. Zij stamt nog uit de tijd dat je pas met een man
naar bed ging als je getrouwd was of als er op zijn minst sprake was van
een serieuze verbintenis. Dat ik na al die jaren onthouding Tom al na één

avond in mijn bed heb toegelaten, kan alleen maar betekenen dat hij mijn nieuwe man voor het leven is en weldra bij mij zal intrekken, nu ik net een groot huis gekocht heb. En dat hij dus de stiefvader van haar geliefde kleinkinderen zal zijn. Ook zij roemt zijn mooie ogen en zijn vriendelijke uitstraling, maar tegelijkertijd beloert ze hem als een havik. Is hij wel lief voor de kleindochters? Trekt hij zijn jongens niet voor? Zijn huishoudelijkheid, die wat mij betreft toch echt niet tot zijn belangrijkste pluspunten behoort, brengt haar tegelijkertijd in vervoering. Een man die spontaan een was in de machine stopt en zelfs niet te beroerd is het strijkijzer te hanteren, een man die geheel zelfstandig boodschappen doet, moeiteloos een maaltijd op tafel zet en bovendien net als zij van mening is dat kinderen altijd hun eigen troep moeten opruimen: ze had hem zélf wel willen hebben. Het bondgenootschap dat zij voelt is niet geheel wederzijds, want terwijl zij blij is met een makker in de strijd tegen onze troep, beschouwt hij haar huishoudelijke en vooral opvoedkundige inbreng toch vooral als ongepast. De euforie over de nieuwe liefde van haar dochter wordt ongetwijfeld flink getemperd als blijkt dat ze wat hem betreft vooral als oma plaats dient te nemen op de bank en haar adviezen maar beter voor zich kan houden.

Maar niettemin toont ze vanaf het eerste moment niets dan enthousiasme: haar arme, eenzame en immer ploeterende dochter heeft eindelijk de liefde gevonden! En oma zal wel even laten zien dat zij als geen ander in staat is om twee wildvreemde kinderen in haar armen en misschien zelfs wel haar hart te sluiten. Terwijl ik nog maar net begín te worstelen met mijn gevoelens voor Max en David, heeft zij er al een sport van gemaakt om ze, althans voor het oog van de buitenwereld, geheel gelijk te trekken met mijn lieverdjes. Als ze haar entree maakt, sluit ze ze zelfs in de armen en drukt ze een zoen op de nieuwe en vooral overrompelde jongenshoofden. Maar onder al dat vertoon veronderstel ik toch de heimelijke hoop aanwezig dat deze nieuwe situatie niet al te lang gaat duren: een dochter zonder Tom is voor haar persoonlijk toch een stuk aangenamer.

Hoe het met de achterban van Tom zit, is mij bij aanvang van ons nieuwe leven niet bekend. Ik kende hem altijd alleen als de vader van schoolvriendjes van mijn jongens, en in die hoedanigheid vraag je elkaar niet het hemd van het lijf. Zes zussen heeft hij, dat weet ik wel, en geen enkele broer. Zes schoonzussen erbij: is dat niet ontzettend leuk? 'Nee,' verzekert Tom mij al na een paar dagen direct glimlachend, 'mijn zussen zijn óf niet aardig, óf op z'n minst eigenaardig.' Opvallend is dat hij er duidelijk moeite mee heeft om mij ten tonele te voeren. Hoewel hij op een terrasje zegt dat hij zó trots op me is dat hij zichzelf doet denken aan de glimmende Obélix met zijn oogverblindende blonde vriendin, word ik nergens geïntroduceerd. Terwijl ik binnen enkele dagen iedereen onverwijld op de hoogte heb gesteld van het verheugende nieuws, blijft Tom stil. Zijn scheiding is nog maar heel kort geleden, en ik krijg het vermoeden dat hij zich wat geneert voor de snelheid van zijn overstap.

Er zijn twee hoofdoorzaken waardoor een vader in een echtscheiding kan belanden. De eerste ligt bij hemzelf: hij heeft een vriendin en verwacht bij haar een betere toekomst dan bij vrouw en kinderen, waarin vooral hijzelf een stuk beter uit de verf zal komen. Zijn buikje wordt slap, zijn haar wat dun, zijn conversatie wat flets en zijn vrouw is meer geïnteresseerd in de kinderen dan in hem en zijn eeuwig dreinende libido. De verwachting dat alles beter kan en dat hij de kans op nieuw geluk moet grijpen voor het te laat is, wordt doorgaans ingefluisterd door de vriendin zelf, die geen gelegenheid voorbij laat gaan om enthousiaste plannen te maken voor een nieuwe toekomst. Daarin wacht hem niet alleen een bruisend seksleven met zijn heus nog zeer aantrekkelijk lijf, maar zal er ook nog eens volop plaats zijn voor zijn kinderen. Vader krijgt al snel het gevoel dat hij wel een oersukkel moet zijn als hij nog een dag langer bij zijn saaie, ontevreden en door cellulitis geplaagde vrouw blijft en maakt zichzelf bovendien wijs dat de kinderen een hartstikke leuke tijd te wachten staat met zijn jeugdige nieuwe liefde. De grootste groep stiefmoeders, schat ik in,[1] wordt gevormd door deze jonge dingen die in hun verliefdheid argeloos de kinderen van een wildvreemde en op voorhand absoluut vijandige moeder welkom heten, vaak alleen in het weekend. Zij nemen zich ambitieus voor hun nieuwe liefde te laten zien hoe zij kunnen functioneren als wellustige minnares en liefdevolle stiefmoeder tegelijk, en het jeugdig enthousiasme werkt aanstekelijk. Vader stapt overmoedig uit het huwelijk en trekt daarmee niet zelden een beerput van ellende voor alle betrokkenen open.

De tweede, en veel vaker voorkomende oorzaak waardoor mannen in een scheiding terechtkomen, is die waarbij zijn vrouw het initiatief neemt. Verreweg de meeste scheidingen worden in gang gezet door haar. Niet omdat ze een lover heeft, maar simpelweg omdat ze ongelukkig is. In tegenstelling tot de gemiddelde man, die het alleenzijn verafschuwt, verwacht een vrouw vaak meer geluk van de eenzaamheid dan van een

---

1   Er zijn geen cijfers beschikbaar van de verschillende soorten stiefgezinnen: naspeuringen wijzen uit dat daar nog nooit onderzoek naar is gedaan in ons land. Op stiefmoedersites kom je wel vooral deze jonge categorie tegen.

samenzijn met de verkeerde. Ze zijn uit elkaar gegroeid, hij kan haar seksueel niet meer boeien, ze zijn zo enorm uitgepraat en zij zakt weg in somberheid en mistroostigheid, waarop ze uiteindelijk besluit de vader van haar kinderen de deur te wijzen. Jarenlang geworstel met emoties en schuldgevoelens gaat daar doorgaans aan vooraf: hoe belangrijk mag je je eigen geluk vinden als moeder? Niet zelden gaat al dit geworstel geheel aan vader voorbij, waardoor de mededeling voor hem als donderslag bij heldere hemel komt: ik wil bij je weg. Of liever nog: jij moet weg. Want vaak heeft moeder ook de financiële kant al geheel doordacht en heeft ze een weggetje gevonden dat haar in staat stelt om met de kinderen in het echtelijk huis te blijven wonen. In de stadswijk vol yuppen waarin wij leefden en waarin vrouwen bijna een beetje meewarig werden bekeken als ze 'nog niet aan scheiden toe' waren, vlogen de scheidingen de nietsvermoedende vaders aan het eind van de twintigste eeuw om de oren.

Ook Tom had het niet zien aankomen: deze trotse, sterke man die altijd de baas in huis was geweest, werd voor zijn gevoel zonder enige reden zomaar gedumpt, en daarmee trapte Hanna hem genadeloos op zijn ziel. Aan zijn achterban toonde hij zich een gekwetst man. Daarom is het nu lastig te verkopen dat hij al zo snel een nieuwe liefde heeft. Zelfs ik vind het ongeloofwaardig als ik erover nadenk. Waar komt zijn verliefdheid zo snel vandaan? Maar Tom verzekert me keer op keer dat hij mij al die zes jaar dat hij mij kent al een geweldige vrouw vindt, vertelt me zo vaak als ik het maar horen wil hoe hij mij vanaf zijn dakterras stond na te kijken als ik de kinderen naar de school tegenover zijn huis had gebracht, en hoe hij over me fantaseerde. Dat hij dus al snel bij mij uitkwam toen hij eenmaal door Hanna aan de kant was gezet, is voor hem volkomen logisch. Dat dat niet voor zijn familie en vrienden zal gelden ligt voor de hand, en zijn schroom is dan ook niet echt verbazingwekkend. Met ons verhaal wekt hij nu eenmaal al snel de indruk van de man die zijn lul achternaloopt, en dat beeld wijkt wel erg ver af van dat van de ideale vader en co-ouder die hij zo graag wil zijn voor zijn jongens en de buitenwereld.

De grootste barrière vormt wat hij noemt zijn beste vriend, Lucas. Hoewel hij met veel warmte over hem praat, krijg ik uit de verhalen niet erg de indruk van een goede vriendschap, want ik kan me met geen mogelijkheid inleven in de angst om nieuw geluk aan een echte vriend te verkondigen. Gelijk blijkt hij echter wel te hebben met zijn voorgevoel, want Lucas blijkt zijn oordeel razendsnel te kunnen vellen: ik moet wel een ordinaire en volkomen foute slettenbak zijn om zo'n gescheiden vader direct aan mijn valse haak te slaan; Hanna is diep zielig en Tom denkt onvoldoende aan zijn kinderen. Klaar. Zo gemakkelijk eindigt een vriendschap van dertig jaar. Veel meer achterban dan deze ene vriend blijkt er ook al niet meer te zijn, want Hanna heeft inmiddels enthousiast gebruikgemaakt van de mogelijkheid om een zielig relaas te verspreiden. Niet langer hoeft zij te verantwoorden waarom ze opeens en per se wilde scheiden van een man die nooit anders gedaan had dan goed voor haar zorgen, niet langer hoeft ze uit te leggen waarom ze de vader van haar kinderen zomaar uit haar leven zwiepte; ze kan nu vertellen aan iedereen die het maar horen wil dat wij ongetwijfeld al die tijd al een relatie hadden en dat zij dat natuurlijk gevoeld heeft. Hoe meer wij het ontkennen, hoe geloofwaardiger wij haar verhaal maken: je kunt in zo'n geval niet anders doen dan eenvoudigweg de mensen doorstrepen die haar versie van de geschiedenis klakkeloos geloven, en zo blijven er weinigen over.

Als Tom eindelijk vindt dat hij het nieuws maar eens aan zijn ouders in Drenthe moet gaan vertellen, mag ik niet mee. Beledigd blijf ik achter, nog niet voldoende op de hoogte van de moeizame relatie en het frustrerende verleden dat hieraan ten grondslag ligt. De band met mijn vorige schoonouders is altijd verre van warm geweest, en ik zit niet te wachten op een nieuwe ronde onrechtvaardige kritiek en verwijten. Willen ze me niet, dan krijgen ze me dit keer ook gewoon niet: zo simpel ligt het wat mij betreft. Maar Tom keert opgelucht huiswaarts: het nieuws is gematigd positief ontvangen. Een scheiding is zijn zwaar katholieke ouders als vanzelfsprekend nu eenmaal een doorn in het oog en er leeft in de kapitale verbouwde boerderij in het oosten weinig begrip voor het modern co-ouderschap, maar het nieuwe geluk van hun enige zoon blijkt toch ook wat waard. Niet veel later gaan we met z'n allen op audiëntie en worden wij allerhartelijkst ontvangen; ook deze oma zet haar beste beentje voor. Stralend tovert ze zelfgebakken tulband met veel rozijnen op tafel, waarna ze zich met haar man hardop genietend even terugwaant in de tijd van hun eigen grote gezin met zeven kinderen.

'Nou,' zegt mijn moeder voortvarend als zowel Tom als de kinderen in de ochtend uit beeld zijn verdwenen en we aan de koffie zitten, 'wat wil je dat we vandaag doen?' Op de dag van de verhuizing naar mijn nieuwe huis brak ik mijn grote teen door er in het donker van de garage een marmeren plaat op terecht te laten komen en sindsdien strompel ik hulpeloos op krukken door het huis, zwaar geïrriteerd over het feit dat een idioot klein stukje lichaam je zó kan hinderen in je functioneren. Meubels verslepen, schoonmaken, dozen uitpakken, kasten inruimen en de kinderkamers leuk inrichten: doe het maar eens op één been terwijl al het bloed naar je pijnlijk kloppende teen aan het eind van je andere been stroomt. Gewoontegetrouw heeft IJzersterke en immer Opofferingsgezinde Mams het heft in handen genomen. Ze geniet van haar belangrijke rol en ik laat het me gewillig aanleunen. Zolang Tom niet besloten heeft dat hij met me wil samenwonen, geef ik hem geen inspraak, heb ik bedacht. Net als mijn moeder wil ik het huis na de verhuizing graag snel gezellig en op orde hebben, en met mijn gekwelde voet op een stoel gaf ik de eerste dagen na mijn noodlottig ongelukje vanaf de bank luidkeels instructies, terwijl mijn moeder af en aan sjouwde met dozen die ik uit moest zoeken of laden die ik in moest ruimen. Inmiddels strompel ik weer wat rond, en langzaam maar zeker is tot mij doorgedrongen dat ik hoog spel speel. De blikken in Toms ogen, de geïrriteerde uitvallen in onze kersverse relatie, het tempo waarmee hij de wijn soms naar binnen giet: hij zou wel eens op het punt van afhaken kunnen staan als ik mijn moeder nu niet met zachte hand de deur uitwerk. Onze relatie duurt nog maar een paar maanden en er is te veel schoonmoeder.

Hoewel ik heel zeker weet dat het ook in mijn moeders wereldbeeld bekend is dat mannen niet dolgelukkig zijn met de aanwezigheid van schoonmoeders, leeft zij dankzij Willem al vele jaren in de veronderstelling dat zij buiten de hinderlijke categorie valt. 'Wat vindt Willem er eigenlijk van dat jij daar zo vaak bent?' vroeg mijn hoogbejaarde oma haar ooit. 'Oh, die vindt dat helemaal geen probleem, hoor,' antwoordde mijn moeder luchtig. Kritisch keek oma haar aan voor ze bijna smalend reageerde: 'Nou, dat is dan de enige schoonzoon ter wéreld die het niet erg vindt dat zijn schoonmoeder er vaak is!'

Mijn moeder kijkt me nog altijd verwachtingsvol aan: wat gaan we vandaag doen, welke klus in huis of tuin pakken we aan? Voor het allereerst in mijn leven durf ik haar amper in de ogen te kijken, en ik zeg bijna bedeesd: 'Eh, eigenlijk zou ik je willen vragen of je naar huis wilt gaan, mam. Tom en ik zijn nog maar net samen, en ik denk dat weinig relaties het overleven als er direct drie weken een schoonmoeder bij intrekt. We hebben er erg veel behoefte aan om samen te zijn.' Hoewel ik in mijn ouderlijk gezin vroeger al verguisd werd om mijn botte eerlijkheid, ben ik zelden zo eerlijk geweest als nu. Mijn moeder valt stil, haalt dan haar schouders een beetje op en zegt: 'Oh.' De stilte is oorverdovend. 'Begrijp me goed, mam, ik vind het hartstikke lief dat je me zo geweldig geholpen hebt en ik had me ook heus geen raad geweten zonder jou.' Nu veert ze haast opgelucht op in verontwaardiging: 'Ja, ik blijf toch niet zomaar? Jij kon je toch helemaal niet redden met die kinderen? Ik kon je toch niet alleen achterlaten?'

'Nee, maar Tom is er toch ook? En het gaat nu wel weer met mijn voet, ik heb bijna geen pijn meer,' lieg ik terwijl ik demonstratief zonder krukken en de pijn verbijtend naar het koffiezetapparaat loop voor een nieuwe ronde koffie. 'Het gaat wel weer. Echt.'

De altijd zo laconieke Willem is ingewisseld voor Tom, en die maakt zich nu niet geliefd. Zuchtend staat ze op: 'Nou ja, dan ga ik mijn spullen maar inpakken. Dan ga ik ook maar meteen.' Zwijgend kijk ik haar na, terwijl ik geïrriteerd een heftig opborrelend schuldgevoel van mij af probeer te schudden. Tom zal blij met me zijn.

Juridische Zaken: de Stiefouder in de Wet

Omgang

De stiefouder heeft formeel geen enkel recht waar het om de stiefkinderen gaat: als de relatie met de vader of moeder van het kind beëindigd wordt, bestaat er voor stiefouder en stiefkind geen recht op contact. Het hangt dus helemaal van de biologische ouders van het kind af of je de gelegenheid krijgt om het kind nog eens terug te zien.

Geregistreerd partnerschap

Stiefouders staan nergens in de wet gedefinieerd, maar het is duidelijk dat je formeel alleen als zodanig wordt beschouwd als je getrouwd bent met je partner/de ouder van je stiefkinderen, of als er sprake is van een geregistreerd partnerschap.
Ook geregistreerde partners van biologische ouders in homoseksuele relaties gelden formeel als stiefouders.

Stiefouder in wetsartikelen

De stiefouder komt in de wet vrijwel alleen maar voor als **betalingsplichtige** waar het om het levensonderhoud van het stiefkind gaat: art. 390 en 404 Burgerlijk Wetboek. Opmerkelijk is dat de stiefouder daarnaast alleen in wetsartikelen over justitiële jeugdinrichtingen veelvuldig voorkomt. Of het nu gaat om een scholingsprogramma of een behandelplan voor jeugdigen in de gevangenis, de evaluatie daarvan, een proefverlofplan of inzage in de dossiers: overal verschijnt de stiefouder in wetsartikelen als serieuze gespreks- en overlegpartner, naast ouders en pleegouders. Het ziet ernaar uit dat hulpverleners de stiefouders als zodanig invloedrijke personen zien in het leven van probleemjongeren, dat ze op dit terrein een plekje in de wet hebben gekregen.

4

DWARSLIGGENDE EX

Een tweede ontwikkelingstaak voor een stiefgezin is het creëren van een bevredigend huwelijk. Dat is belangrijk voor de stabiliteit van een stiefgezin. De partners moeten daarom tijd vrijmaken voor elkaar, hoe moeilijk dat ook is in een stiefgezin met wellicht meerdere omgangsregelingen. Belangrijk is ook dat de relatie met de ex-partner écht beëindigd is en dat de emoties die daaruit voortkwamen geen negatieve invloed uitoefenen op het nieuwe gezin.

Uit: *Hoe de sprookjesprins het evenwicht verstoort*, Anke Runia, 25 november 2004.

Terwijl mijn bezorgde moederblikken onophoudelijk door de enorme hal flitsen in een poging tot overzicht tijdens het tiende verjaardagsfeest van mijn Casper, zit Tom naast mij op het terrasje met witte plastic stapelstoelen volledig verdiept in een brief van zijn ex. Vlak voordat we vertrokken naar de grote hal van Kidcity, waar kinderen zich in een enorme overdekte speeltuin krijsend en onbeheerst kunnen uitleven, duwde de postbode hem ons huis binnen.

Het kon niet uitblijven: de ex laat zich gelden. Tien jongetjes hebben zich op mijn kosten als dolle honden door de hal verspreid en ik sla verbijsterd de kindermassa gade die zich vermaakt met oorverdovend gegil, geduw en getrek in de rij voor de meest populaire attracties. Waarom doen kinderen dit? Waarom altijd zo veel lawaai? 'Ze wil de jongens niet meegeven op vakantie!' bast Tom in mijn rechteroor. Het is eind mei, we hebben twee vakantiehuizen geboekt op twee verschillende plekken in Frankrijk, en vertrekken over een week of zes. Ontzet kijk ik hem aan: 'Wat nu?' Geïrriteerd haalt hij zijn schouders op: 'Flauwekul natuurlijk! Laat ze ons maar tegenhouden!' Ik zie dramatische taferelen voor me, met een hysterisch schreeuwende Hanna en twee heel zielige jongetjes. Waarom en in wiens belang doet ze dit? Ze kan ze geen drie weken missen, zegt ze in haar brief, en ze zegt bovendien zeker te weten dat haar zoons ook niet zo lang zonder haar kunnen. Dat argument zou een rechter zomaar kunnen aanspreken. Dat er keiharde afspraken zijn gemaakt over die vakantie bij de echtscheiding en dat ze er toen in het geheel geen problemen mee had om haar jongens drie weken aan hun vader af te staan, zal er niet toe doen. De afspraken waarin beide ouders de tijd met de kinderen en dus ook de vakanties precies gelijk en in alle vrede verdelen, stammen uit de tijd dat ik nog niet in beeld was. Hanna is er nu van overtuigd, vertelt ze op dramatische toon in haar brief, dat wij in onze verliefdheid drie weken lang veel te weinig aandacht voor haar arme kinderen zullen hebben. Dus krijgen we ze niet mee.

Tom briest inmiddels van woede, en als er een hooguit zesjarig jongetje in wild enthousiasme tegen zijn stoel opbotst, valt hij veel te boos tegen het arme kind uit. 'Kijk eens uit, eikel!' blaft hij. Ik probeer het een beetje goed te maken door vriendelijk tegen het jochie te glimlachen, maar het kind is in het geheel niet onder de indruk van mijn boze man en snauwt terug: 'Ach, sukkel!' Tom hoort het al niet meer: hij staart peinzend in de verte en bedenkt een strijdplan. Zo nu en dan meldt zich een bekend jongens-gezicht bij mijn tas vol snoep en geduldig deel ik spekkies en dropveters uit. 'Ik schakel een advocaat in,' zegt Tom nu opeens daadkrachtig. 'Ik heb er geen zin in dat dat mens onze vakantie verpest. Ik heb mails van haar waarin ze nota bene rustig vraagt om het vakantieadres, en we kunnen laten zien dat we al geboekt en betaald hebben. Dat gaan we winnen.' Zijn besluit is genomen, en hij staat bijna opgelucht op: 'Jij ook een wijn-tje?' vraagt hij nu bijna vrolijk terwijl hij zich over me heen buigt en me een heerlijk lange zoen geeft. 'Zijn alle kinderen er nog?' Ik lach: 'Ja. En ja graag, een wijntje – wit.'

Jaloezie is vermoedelijk een van de menselijkste emoties die er zijn, en in al mijn menselijkheid is jaloezie mij dan ook allerminst vreemd. Als kind was ik soms haast ziekmakend jaloers op mijn zus: knapper, intel-ligenter, populairder en veel zelfverzekerder dan ik. Jaloers was ik ook op klasgenoten die ogenschijnlijk zonder twijfels, zonder pukkels en met veel vrienden door het leven huppelden, en jaloers was ik op het grote huis met zwembad en paarden van een van mijn vriendinnen. Jaloers was ik vervolgens in mijn studietijd op mijn vriendinnen die er steevast in slaag-den om mij in hun schaduw te plaatsen terwijl zíj de leukste jongens aan de haak sloegen, precies de goede kleren droegen en altijd wisten wat ze moesten zeggen. En jaloers was ik zelfs toen Willem in onze studietijd een

vriendinnetje nam nadat ik hem tijdelijk had ingeruild voor een andere
jongen.

Jaloezie heeft in mijn ogen ten onrechte een slechte naam. Het gevoel
op zichzelf is alleen maar menselijk en in de liefde vaak ingegeven door
louter angst om te verliezen. Het wordt pas kwalijk als je er in onbeheerst-
heid foute dingen mee doet. Het volkomen gebrek aan jaloezie bij Willem
tijdens ons huwelijk heeft me zelfs altijd bijzonder gestoord, en ik kon
hem ooit wel meppen omdat hij helemaal niet reageerde toen ik na flink
wat borrels tijdens het dansen heftig aan het zoenen sloeg met een oude
liefde terwijl hij er gewoon bij stond. Wie van mij houdt, moet op z'n
minst enige jaloezie voelen als ik met andere mannen flikflooi, en wat dat
betreft zit ik bij Tom meer dan goed. Zou ik hem hetzelfde kunstje flikken,
dan zou hij zijn drift niet kunnen beheersen en eindigde ik vermoedelijk
samen met de oude liefde bont en blauw in een hoekje van de dansvloer.

Hoewel ik na vele jaren wikken en wegen uiteindelijk geheel zelfstandig
en vol overtuiging besloot dat het de hoogste tijd werd voor een echtscheiding, kon ik mijn jaloezie maar amper beheersen toen Willem na negen
maanden eenzaamheid een nieuwe liefde vond. Ik gunde hem vanzelfsprekend alle geluk van de wereld, maar pas nádat ik mijn eigen geluk gevonden had, en ik kon het niet laten zijn nieuwe liefde te bespotten waar
ik maar kon. 'Papa gaat aan de kikkererwten,' grapte ik zuur als hij de kinderen bij mij afzette en snel doorging naar zijn veel oudere, macrobioti-
sche en alcoholvrije vriendin. Met mijn eigen vriendinnen fantaseerde ik,
terwijl de wijn rijkelijk vloeide, hikkend van de lach over een waslijn vol
zelf geweven condooms en over bietensapjes voor mijn oude zuipschuit en
toen ik haar eindelijk kon bezichtigen omdat er een foto van haar in een
tijdschrift verscheen, deed Ellen liefdevol haar best mij in mijn nergens
op gebaseerde afkeer te steunen. Terwijl ze de foto onder een lamp aan
een kritische blik onderwierp, wees ze enthousiast op de bovenarmen van
de nieuwe liefde: 'Kijk! Ernstig geval van slapte!' Tot op heden heb ik de
mevrouw in kwestie nooit mogen ontmoeten (Willem houdt zelfs haar telefoonnummer nog steeds zorgvuldig voor mij geheim) en ze wil ook niets
van mijn kinderen weten, wat mij natuurlijk steunt in mijn nog altijd wat
jaloerse oordeel dat het een raar wijf is. Willem reageerde op zijn beurt
haast ongeïnteresseerd toen ik hem vertelde over mijn nieuwe relatie:
'Ah, wat leuk voor je,' zei hij afwezig als altijd zodra het over anderen gaat
en zonder een spoortje jaloezie. En hoewel we op dat moment al meer
dan twee jaar uit elkaar waren, kon ik het niet uitstaan. Een kléín beetje
jaloezie kon toch wel? Op z'n minst als vader? Begreep hij niet dat de kans

aanzienlijk was dat mijn nieuwe liefde heel wat meer van onze kinderen te zien zou krijgen dan hij? Het boeide hem kennelijk allerminst, en bij de eerstvolgende gelegenheid schudde hij Tom vriendelijk de hand. Terwijl ons seksleven nooit tot grote bloei was gekomen en Willem zich altijd getroost had met de gedachte dat ik frigide moest zijn, leek het hem zelfs niet te raken dat Tom en ik voortdurend aan elkaar zaten en zoenden. Zonder dat hij een spier vertrok nam hij tijdens een verjaardagsborrel nog maar eens een slokje van zijn biertje terwijl zijn blik onbewogen langs Toms hand op mijn kont gleed.

Hanna is wél jaloers, en niet weinig ook. Op het eerste gezicht onlogisch: zij kon tenslotte niet wachten tot de dag was aangebroken waarop ze alleen verder zou gaan. 'Misschien is het wel een ellende,' zei ze op mijn waarschuwingen voor de eenzaamheid, 'maar dan is het tenminste wel míjn ellende.' Na twintig jaar samenzijn had ze eindelijk de moed opgevat om haar dominante man een zwiep te geven en ze verheugde zich op haar onafhankelijkheid en vrijheid. Maar dat wil niet zeggen dat je je oude liefde direct nieuw geluk gunt, weet ik uit ervaring, en al helemaal niet meteen een nieuw gezin. Als je man je niet gelukkig heeft weten te maken, en je je daardoor uiteindelijk gedwongen voelt een einde aan het huwelijk te maken, ben je boos. Je voelt je tekortgedaan, je bent teleurgesteld en ervan overtuigd dat je kinderen door zijn schuld een harmonieus en volledig gezin mislopen. De scheiding is, weliswaar niet alleen maar toch in elk geval óók, bedoeld als straf: nu manlief er niet in geslaagd is om zijn vrouw tevreden te stellen, wordt hij geacht zijn biezen te pakken en zijn zonden in eenzaamheid te overdenken. Uit de vaak volkomen overrompelde reactie van de man en zijn onwil om direct te vertrekken haalt de vrouw de boodschap dat hij nog van haar houdt, en dat geeft weer aanleiding tot het veilige gevoel dat ze 'altijd nog terug' kan, mocht de eenzaamheid toch tegenvallen.
Ook ik strafte mijn echtgenoot voor zijn zwaar tegenvallend optreden in ons huwelijk en ook ik had het gevoel dat hij mij op elk gewenst moment weer in de armen zou sluiten. Zelfs toen hij na negen maanden een vriendin kreeg, zag ik dit als een noodsprong en bleef ik in de veronderstelling leven dat hij toch eigenlijk het liefst bij mij terug zou komen. Ik ben er zeker van dat ook Hanna die gedachte koesterde op het moment dat ze het huis verliet. Hoewel je op zo'n moment niet het geringste voornemen hebt om hem ooit nog terug te nemen, blijft je man voor je gevoel nog heel lang van jou. Ik weet nog hoe raar ik het vond om niet te weten wat Willem op een dag gedaan had: als ik hem eens belde en hij was er niet, moest ik me

in een volgend gesprek echt beheersen om niet te vragen: 'Waar zat je?'
En deed ik dat toch en antwoordde hij met een plagend: 'Dat gaat je niets
aan,' dan ergerde ik me dood. Want ik wilde hem weliswaar niet meer,
maar daarmee had hij nog niet het recht om mij gewoon uit te gummen
en probleemloos verder te gaan met zijn leven.

Hanna koesterde de vurige wens om van Tom verlost te zijn en ventileerde
haar afkeer van hem uitbundig in de periode rond haar scheiding. Maar
met mijn veronderstelling dat ze me daarmee de vrijheid had gegeven om
op zijn avances in te gaan, bleek ik er bijzonder ver naast te zitten. Overrompeld als ik was door mijn eigen plotselinge en hevige verliefdheid,
had ik opeens een bijna aandoenlijk kinderlijke kijk op het leven. Ik ging
er geheel van uit dat onze vriendschap zou kunnen voortbestaan, en dat
Hanna er misschien zelfs wel blij mee zou zijn dat ik de nieuwe vrouw in
het leven van Tom en de kinderen was, en niet een of andere wildvreemde
dame. Maar dat zag ik verkeerd. Toen Tom en ik een relatie kregen, was ze
des duivels. Niet alleen ging de man die geacht werd zijn dagen in schuld-
bewustheid en eenzaamheid door te brengen probleemloos verder met
zijn leven – hij had zich zelfs meteen een heel nieuw gezin aangemeten, en
dan nog wel mijn gezin. Waar David en Max in die beginperiode de ene
helft van hun leven doorbrachten met een in eenzaamheid worstelende
moeder, vertoefden ze de andere helft in wat Hanna zuur 'de happy family'
noemde. Haar verbijstering daarover was, achteraf gezien, alleen maar
begrijpelijk. Ze was woedend, en alle redelijkheid en welwillendheid die ze
tot op dat moment had laten zien in het belang van de kinderen, werden
direct overboord gegooid: het was oorlog wat haar betrof. En met deze
brief over de vakantie maakt ze daarmee een serieus begin.

Alle moderne gedachten ten spijt, ken ik in mijn kennissenkring niet
één moeder die niet vindt dat haar kinderen gewoon bij háár horen. Ze
besteedt ze met genoegen uit en kan ook enthousiast genieten van hun
afwezigheid, maar de verantwoordelijkheid is voor haar, en haar mobiele
telefoon blijft onder alle omstandigheden aan. Het precies verdeelde
co-ouderschap is leuk bedacht, vermoedelijk door mannen, maar gaat
voorbij aan alle natuurwetten en de intense band tussen moeder en kind.
Dankbaar was ik dan ook voor de nonchalance waarmee Willem de kinderen bij mij achterliet: 'Kinderen horen bij hun moeder,' vond hij prettig
gemakzuchtig. Als ik uit ben op ruzie, of 'tuk op een relletje' zoals Ellen
het uitdrukt, hoef ik slechts dergelijke wijsheden tegen Tom te herhalen.
Razend wordt hij ervan; wóedend als ik zeg dat de moederband met een
kind veel intenser is dan de vaderband. Het is een discussie van niks, want

er is weinig argument voorhanden dat niet louter gebaseerd is op gevoel, en dergelijke argumenten zijn doorgaans weinig overtuigend. Vlak na mijn eerste bevalling lag ik volkomen overrompeld, uitgeput en in de war naar mijn piepkleine baby te kijken toen ik tegen Caroline opmerkte: 'En dan kan een rechter op een dag zomaar je kind bij je weghalen en besluiten dat het beter af is bij de vader? Beláchelijk!'

Het gevaar dat een rechter mij op z'n minst voor een deel bij mijn kinderen zou weghouden, weerhield mij jarenlang van een echtscheiding: het waren stukjes van mij, ze kwamen uit mijn lijf en hoorden dus bij mij te zijn en onder mijn verantwoordelijkheid te vallen. Voor een academisch geschoold mens uit de links politieke hoek zoals ik, zijn dergelijke gedachten 'not done' en je kunt ze doorgaans slechts in bescheiden kring uiten zonder in de problemen te komen. In die bescheiden kring zat ook Paula, een uit het oog verloren vriendin, die het in dit verband kort na haar scheiding niet eens nodig vond om te argumenteren. Terwijl haar ex en zeer betrokken co-ouder aan de telefoon hemel en aarde bewoog om de kinderen drie weken mee op vakantie te krijgen, herhaalde zij alleen maar als een soort mantra op alles wat hij zei: 'Ja, maar: ik wil het niet.' Hij werd woedend, raasde en tierde en verweet haar verregaande onredelijkheid, maar zij bleef onverstoorbaar: 'Ja, misschien is het onredelijk, maar: ik wil het niet.' Hij raakte volkomen uitgeargumenteerd, zij kwam met geen enkel argument, en toch won ze: hij ging niet en ik vond haar een heldin. Maar Tom gaat wel; dat staat voor mij vast. De vraag is alleen wat ervoor nodig is.

Casper vindt het de hoogste tijd voor een dropveter en ziet de brief van Hanna op het wiebelige plastic tafeltje voor ons liggen: 'Wat is dat?' Gescheiden moeders vatten gemakkelijk de gewoonte op om de oudste kinderen als volwaardige gesprekspartners te beschouwen, hoe klein ze ook zijn. Je komt van je werk en hebt ruzie gehad met een student, een vriendin heeft net gebeld om te zeggen dat ze zwanger is of je bent nerveus voor een belangrijke klus de volgende dag: aan wie anders dan je kinderen kun je dat direct kwijt? Je vat het leven voor ze samen in eenvoudige, hapklare brokjes met een positief sausje eroverheen en zo heb je tenminste toch nog gesprekspartners na lange dagen. Tom heeft nooit de gelegenheid gehad om die gewoonte op te bouwen, want hij was nog maar amper alleen of ik lag al in zijn armen. Hij kijkt dan ook wat raar op als ik voor de tienjarige Casper met een toch maar vast wat geruststellende grijns samenvat wat er speelt: 'Hanna wil David en Max niet meegeven naar Frankrijk.' Zijn linkerwenkbrauw gaat eerst een stukje omhoog, en daarna trekt hij een frons: 'Lekker stom.' En weg rent hij weer, er geheel op vertrouwend dat ook dit probleem zich wel weer zal oplossen. Tom kijkt op zijn horloge: tijd om de feestgangers bij elkaar te vegen en huiswaarts te gaan.

Direct als alle verjaardagsgasten thuis zijn opgehaald en de rust is weergekeerd, neemt Tom plaats achter de computer om Hanna een streng vermanende mail te sturen: ze moet zich aan de gemaakte afspraken houden en niet onnodig moeilijk doen. De toon die hij bezigt is die van een vader tegen een lastige puber en slaat vanzelfsprekend de plank volkomen mis. Als je na een langdurige relatie de moed hebt opgevat om je dominante man opzij te schuiven en nu eens helemaal voor jezelf te gaan, werkt de vermanende toon als de bekende rode lap. Hanna houdt dan ook twee voeten bij stuk en is in het geheel niet onder de indruk van Toms aankondiging dat hij naar de rechter zal stappen. Ik zie voor me hoe ze grinnikend achter haar computer zit en intens tevreden constateert dat deze man haar niet langer de baas is. Haar onafhankelijkheid is definitief begonnen en haar zege smaakt zoet: ze heeft Tom in een hoek weten te dringen waar hij niet zomaar uit kan komen, en ze lijkt zich niet al te zeer te bekommeren om de neveneffecten. Het kan haar amper onbekend zijn dat haar jongens dolgraag met ons mee willen naar Frankrijk, maar Hanna heeft daar kennelijk weinig boodschap aan.

Rechters en advocaten: wat weten wij ervan? Hoe vind je een goede advocaat en hoe beperk je de kosten tot een minimum? De enige advocaat met wie ik tot op heden te maken kreeg (afgezien van het feit dat zowel mijn ex als mijn grote vergeefse liefde van weleer jurist is) is onze echtscheidingsadvocaat. Om de kosten van de scheiding te beperken schafte ik in de universiteitsboekhandel een boek over echtscheidingsrecht aan, en daaruit haalde ik een voorbeeldconvenant. Omdat de wet bepaalt dat een convenant alleen geldig is als er een advocaat aan te pas is gekomen, legde ik het ding kant-en-klaar aan hem voor, al door Willem en mij goed bevonden en ondertekend. Desondanks kostte de bekrachtiging ervan toch nog een euro of achthonderd, want hij moest natuurlijk op advocatenbriefpapier. Geheel tegen mijn gewoonte in had ik het ding net zo stijf geformuleerd als het boek voorschreef, om te voorkomen dat een advocaat het allemaal veel te frivool zou vinden en eraan zou gaan sleutelen tegen 200 euro per uur. Maar een advocaat wil natuurlijk toch geld, dus deed hij het omgekeerde en stopte hij energie in de versoepeling van de formuleringen. Op mijn woedende reactie toen de rekening binnenkwam, antwoordde hij

stijfjes: 'U hebt geen idee hoe lastig het kan zijn om juridische bewoordingen in wat eenvoudiger Nederlands om te zetten.' 'Daar geef ik les in,' antwoordde ik bits, 'misschien een cursusje binnenkort?'
Welke zichzelf respecterende jurist besluit in de boeiende wereld van wetten, en mazen daarin, tot een carrière in het familierecht? Wat is er nou naargeestiger en vervelender dan je leven wijden aan aldoor weer dezelfde echtscheidingsperikelen van verbitterde mensen die samen ooit gelukkig waren? Wie buigt zich in enthousiasme over omgangsregelingen en alimentatiekwesties waar kinderen hoe dan ook de dupe van zullen zijn? Alleen iemand die gaat voor het hoge banksaldo, en zo iemand hebben wij nu dus nodig. Hoe voorkomen wij dat we straks weliswaar toch nog op vakantie kunnen met alle kinderen, maar er geen geld meer voor hebben? We bladeren wat door de Gouden Gids, maar er blijkt geen enkele advocaat die zijn bedoening aanprijst als goedkoop of uiterst schappelijk. We kiezen uiteindelijk maar een kantoor uit in een leuk gebouw waar we geregeld langskomen; daar werken vast leuke mensen, en leuke mensen sturen vast geen onredelijk hoge rekeningen.

De advocate die ons een paar dagen later ontvangt achter een prettig rommelig bureau is van het jonge en redelijk hippe soort en lijkt bovendien niet in de eerste plaats geïnteresseerd in het versturen van gepeperde facturen. Ze raadt ons de rechtsgang af: 'Doe het niet. Waarschijnlijk win je wel in dit geval, maar denk aan je kinderen. Zulke zaken zijn áltijd onverkwikkelijk voor de kinderen. Probeer het anders op te lossen.' Tom voelt zich duidelijk op de vingers getikt en legt geforceerd geduldig uit dat haar advies niet reëel is: 'Ik heb haar al gemaild en ook gebeld, maar ze is gewoon niet voor rede vatbaar.' Er valt een stilte in de grote kamer terwijl zich een zware wolk van ergernis boven zijn hoofd vestigt. Tom wil nu eenmaal korte metten maken met het gedrag van zijn ex en haar door een rechter op de vingers laten tikken, maar hij weet tot zijn eigen irritatie weinig in te brengen tegen het kinderbelang-argument.
'Weet je wat,' zegt onze advocate opeens vriendelijk glimlachend in haar vlotte mantelpakje, 'ik start de procedure, want als het inderdaad tot een kort geding moet komen hebben we weinig tijd. Maar ik bel haar ook. En ik zal proberen haar op andere gedachten te brengen.' Tom snuift wat cynisch en verwacht er duidelijk niets van, maar hij kan weinig anders dan instemmen. De volgende dag al belt de advocate ons op met de eenvoudige mededeling dat we de kinderen mee kunnen nemen op vakantie. Zaak gesloten.

Nooit zullen we weten op grond waarvan Hanna bakzeil heeft gehaald, maar ik kan het wel raden. Want één ding staat voor mij vast: ze houdt van haar jongens en wil een goede moeder zijn; ze zal zich niet graag door een advocate laten vertellen dat ze de belangen van haar kinderen schaadt. De rekening valt helaas toch nog erg tegen, maar we halen opgelucht adem: een rechtsgang is voor ons voorlopig niet aan de orde.

Enkele maanden later wordt duidelijk hoe kinderlijk optimistisch we zijn geweest, als er op zaterdagmorgen een heuse dagvaarding op de deurmat ligt. Nerveus overhandig ik het gerechtelijk schrijven aan mijn geliefde: wat nu? Wil ze de jongens bij ons weghalen? Wil ze geld? Allebei? Volledig in tegenspraak met de vastgelegde afspraken eist de moeder van mijn stiefzoons een exorbitant hoog bedrag aan kinderalimentatie, op grond van 'veranderde omstandigheden'. Tom vloekt nu hardop en ontzet kijken we elkaar aan. We herinneren ons een scène enkele weken daarvoor: terwijl Tom nietsvermoedend naar het schoolplein liep om zijn jongens op te halen, stond ze plotseling voor zijn neus. 'Je hebt een nieuwe baan!' 'Ja,' antwoordde Tom, zich niet direct realiserend wat ze impliceerde, 'dat klopt.' Haar stem werd snerpend toen ze te midden van ouders bitste: 'Dan verdien je dus ook meer! Daar wil ik ook wat van!' Tom was slechts binnen de organisatie opgeschoven naar een andere plek en verdiende geen cent meer, maar in zijn ergernis en gêne had hij alleen zijn schouders opgehaald en was zonder een woord doorgelopen. Dom: nu hebben we weer een advocaat nodig, en ditmaal een vechter. We besluiten tot een telefoontje naar het bureau voor rechtshulp[2]: welke advocaat is een echte winnaar in het familierecht? Het antwoord is even simpel als schokkend: die van Hanna.

---

2 Inmiddels zijn deze bureaus opgeheven en vervangen door het Juridisch Loket.

Rechtsgang: de Procedure

Vanaf 1 januari 1998 houden beide ouders na een echtscheiding het ouderlijk gezag, tenzij de rechter anders beslist en een van de ouders het gezag ontneemt (dat gebeurt alleen in heel bijzondere omstandigheden). Er wordt altijd een **convenant** opgesteld, waarin alle afspraken worden vastgelegd die de scheidende partijen maken.
Als je vindt dat de gemaakte afspraken niet meer reëel zijn, omdat er bijvoorbeeld sprake is van belangrijke veranderde omstandigheden, kun je ze bij de rechter aanvechten.

Rechtszaak

In dat geval moet je een advocaat inschakelen, die in een **dagvaarding** vastlegt wat je precies wilt: meer kinderalimentatie, meer contact met de kinderen, enzovoort. Jij bent in dat geval de eiser; je ex-partner is de gedaagde. Een rechtszaak dient altijd in het arrondissement waarin de gedaagde woont. Er zijn in Nederland achttien rechtbanken. De gedaagde wordt geacht voor de geplande zittingsdatum een **verweerschrift** in te dienen, waarin hij of zij kan vertellen waarom hij of zij jouw eisen onredelijk vindt. Komt er geen verweerschrift, dan heb je grote kans dat je eis wordt ingewilligd. Voordat je zaak voor de rechter komt, en dat kan een hele tijd duren, proberen de advocaten van beide partijen vaak tot een **schikking** te komen: een compromis. Niet zelden wordt daarbij een **mediator** ingeschakeld: een onpartijdig bemiddelaar. Kom je er niet uit, dan komt er een rechtszaak. Zittingen die het familierecht betreffen zijn niet openbaar.

De zitting

De rechter heeft op het moment van de zitting alle bewijsstukken van beide partijen al bekeken en wil nu alleen nog een mondelinge toelichting van beide advocaten en de mogelijkheid om de partijen vragen te stellen. Het kan ook zijn dat de kinderen, als ze 12 jaar of ouder zijn, worden opgeroepen om te verschijnen. Het is mogelijk dat de rechter de zaak 'aanhoudt' oftewel uitstelt, bijvoorbeeld omdat hij wil dat je eerst nog eens naar een mediator gaat. Dan moet je daarna weer terugkomen voor een nieuwe zitting.

De uitspraak

Zes weken na de zitting moet de **uitspraak** bekend zijn. Ben je het met die uitspraak niet eens, dan heb je drie maanden de gelegenheid om **in hoger beroep** te gaan. Dat doe je bij een Gerechtshof, kortweg 'het Hof'. Bij het Hof buigen meerdere rechters zich samen over de zaak. Het kan een tijd duren voordat je zaak voorkomt, en ook dan is het weer mogelijk dat de zaak wordt aangehouden. Ook nu volgt de uitspraak na zes weken. Ben je het met de uitspraak van het Hof niet eens, dan kun je theoretisch nog in **cassatie**, bij de Hoge Raad in Den Haag. Maar dat heeft alleen zin als je denkt dat er echt fouten in de procedure zijn gemaakt: de Hoge Raad beoordeelt de zaak niet opnieuw inhoudelijk. Houd er rekening mee dat een gewone rechtszaak al gauw een jaar duurt en dat je meerdere jaren kwijt bent als je ook nog in hoger beroep gaat.

5

ONGEDEELDE GESCHIEDENIS

Je moet samen geschiedenis maken, nieuwe rituelen en regels
vinden. Je moet ook met z'n allen een nieuw gevoel voor humor
ontwikkelen.

Ietje Heybroek-Hessels in *Samen gesteld – de dynamiek van het stiefgezin*, 2004.

Terwijl Tom op een wiebelige stoel voor de grote garderobekast staat, geef ik hem één voor één mijn stoffige fotoalbums aan: rood, blauw, wit, bruin, groen, zwart. Op de ruggen door de zon verbleekte en amper nog leesbare stickers met nummers en data: album 25, mei/augustus 1994. Baby's, peuters en kleuters verdwijnen met een grote zwaai op de kast en vormen slordige stapels. Mijn gezinshistorie moet wijken en plaatsmaken voor de honderden boeken van Tom, die deze week definitief bij mij intrekt. Wie zal ooit nog de moeite nemen om een fotoalbum tussen de stoffige stapel uit plukken? Hoe vinden we ooit de foto terug die we zoeken? Wie werpt nog een blik op mijn kleine driftkikkertjes, mijn bruine strandschoffies, mijn stralend grijnzende voetballers? Tom ziet al die albums geamuseerd voorbijkomen: hoe krijgt een mens het voor elkaar om zo veel boeken te vullen?

Jarenlang belaagde ik mijn gebroed onophoudelijk met mijn fototoestel, dat altijd in de aanslag lag voor leuke momenten die zich onverwacht zouden aandienen. Tientallen fotoalbums plakte ik vol met geduldig geselecteerde plaatjes van mijn kinderen in alle standen, gelardeerd met tekeningen van hun hand. Keurig in het gelid vulden ze een hele boekenkast in mijn slaapkamer, en voordat Tom kwam pakte ik er geregeld eentje uit om in weemoed te verzinken bij mijn kundige geschiedvervalsing. Want wat de waarheid ook geweest is: in het album zijn wij een harmonieus gezin, ben ik een vrolijke moeder en toont zelfs Willem zich een aanwezige vader. Vertederd bladerde ik met enige regelmaat door de boeken en verlangend keek ik terug op baby's en peuters die mij in werkelijkheid tot het uiterste tergden en sloopten. Geruisloos kijken ze me vriendelijk lachend aan. Geen plaatje te bekennen van een snotterend ziek kind, niets te zien van de eeuwige weigering om te eten en al helemaal niet van de wallen onder mijn eigen ogen. Een heerlijk gezin.

Wie op jonge leeftijd voor het eerst in een serieuze liefdesrelatie stapt, heeft de blik geheel en al verwachtingsvol gericht op de toekomst: het verleden ligt oninteressant en verwaarloosd achter je. Samen ga je vorm geven aan wat komt en je hoofd loopt over van de plannen, goede voornemens en irreële verwachtingen. Stap je veel later in je leven in een nieuwe en serieuze relatie, na eerst bewogen en later eenzame jaren, dan is er niet zo heel veel ruimte meer in je hoofd voor plannen. Je hebt je leven voor een groot deel al vormgegeven, je hebt het gewenste aantal kinderen inmiddels al dan niet gekregen, je baan gevonden, je huis betrokken en je weet na je scheiding inmiddels precies hoe welvarend je ervoor staat. De geschiedenis heeft belangrijke stempels gedrukt en keuzes bepaald, en plannen gaan vooral de kinderen aan. De toekomst brengt je in je hoofd geen dromen meer, geen hoop en geen spannende avonturen, maar zorgen, ziekten, studiekosten, drugsgevaar en mogelijk zelfs armoede. Iedere dag vooruit maakt de historie die achter je ligt rooskleuriger en de toekomst angstiger. Hoe groter je kinderen worden, hoe leuker je baby's en peuters gaat vinden, en hoe dichter ze bij de puberteit komen, hoe meer die tegenvalt.

De geschiedenis van een gezin wordt bij voortduring en op grote schaal vervalst, vertekend en opgeleukt. Niet alleen door jouzelf, maar ook door de kinderen. Terwijl ik Willem slechts tweemaal in zijn hele vadercarrière letterlijk gedwongen heb in de speeltuin om de hoek te gaan voetballen met zijn zoontjes, vertelt Flip nog altijd dat hij vroeger 'altijd met papa' ging voetballen, en Anouk kijkt met zó veel weemoed op mijn vader en haar overleden opa terug dat ik me geregeld afvraag wat mij aan hem ontgaan is.

Krijg je na al je eenzaamheid op een dag een nieuwe relatie, dan komt de merkwaardige neiging op om je roze en vertekende historie zo snel mogelijk aan je geliefde op te dringen. Het is bijna weldadig hoe je je eigen geschiedenis kunt inkleuren als er iemand voor je zit die er part noch deel aan gehad heeft. Herinneringen die niet passen in het beeld dat je graag van jezelf en je kinderen wilt geven, laat je moeiteloos weg; je portretteert je eigen persoon bij voorkeur positief en vooral intelligent, en voor kwalijke karaktertrekjes haal je prachtige verklaringen uit je verleden. Vanzelfsprekend is er ook plaats voor drama: met graagte doe je verslag van de kwellingen van het eenzaam moederschap dat je heroïsch wist te combineren met veel extra werk thuis om het financieel te kunnen volhouden of vertel je over de dramatische wijze waarop je als puber gebukt ging onder de schaduw van een alom gevierde grote zus. Het liefst doe je zelfs direct uitgebreid verslag van je moeizame bevallingen, tenslotte de meest ingrijpende gebeurtenissen uit je leven, maar je realiseert je nog net op tijd dat die de nog springlevende romantiek wel eens snel en genadeloos om zeep zouden kunnen helpen. Sommige herinneringen moeten even wachten. Zonder een moment te liegen kleur je, selecteer je en overdrijf je hier en daar een beetje, en je bent niet de enige die dat doet. Vriendin Caroline, die kort na mij een nieuwe liefde vond, klopt de lol in haar leven in aanwezigheid van haar man Gijs graag luchtig op tot hilarische proporties en zet mij daarbij geregeld in. Met ons was het altijd dolle pret! Terwijl ik mij situaties bij onze gezamenlijke schoonouders herinner die toch vooral ergerlijk of zelfs stomvervelend waren, heeft zij er inmiddels de komische kant van ontdekt en doet ze er verslag van alsof we samen onder de tafel gelegen hebben van het lachen. Glimlachend vaar ik wel bij deze vrolijke dijenkletsende pr en ik doe geen enkele poging de gebeurtenissen in een wat realistischer kader te plaatsen. Haar gevoel voor drama maakt mij geregeld nóg sterker dan ik mij in werkelijkheid al voel, als ze mijn Tom tranentrekkend verslag doet van de ontberingen die ik heb moeten doorstaan als alleenstaande moeder met vier kleine kindertjes, een volkomen onverantwoordelijke ex, groot geldgebrek en een meer dan onvriendelijke ex-schoonfamilie. Zitten er veel wijntjes in, dan moet ik zélf bijna moeite doen mijn tranen te bedwingen.

De nieuwe mannen in ons leven slikken het allemaal voor zoete koek, want wat weten ze er tenslotte van, maar zijn tegelijkertijd maar matig geïnteresseerd in wat achter ons ligt. Zelf vertonen ze ook weinig neiging tot vertelzucht: hun blikken zijn veel meer op de toekomst gericht. Waarom nog een dag langer stilstaan bij een mislukte liefde uit het verleden en niet gewoon genieten van de dag van vandaag? Pogingen van mijn kant om Tom uit te horen over de historie van zijn seksleven of gevoelens van weleer lopen steevast op niets uit. Een paar onwillige zinnen en daarna elke keer weer de geïrriteerde opmerking: 'Ik heb helemaal geen zin om daarover te praten!' Het liefst gumt hij zijn verleden uit. In die lijn past ook de desinteresse in mijn fotoalbums: ze vertellen over een vorig leven, met een vorige man in een vorig huis, met mijn kinderen in hun vorige leven. En hoe sterk ik ook het gevoel heb dat hij mijn kinderen nooit op waarde zal kunnen schatten als hij hun geschiedenis niet kent, hij heeft geen belangstelling.

Terwijl de fotoboeken één voor één naar de hoogte worden verbannen, moet ik moeite doen om mijn irritatie te onderdrukken. Opeens stopt Tom. 'Wat is dit?' vraagt hij onverwacht geïnteresseerd als ik hem een stokoud, verschoten album aangeef dat geheel uit de toon valt. Het is een album met mijn eigen jeugdfoto's: een onregelmatig zootje, ooit door mijzelf uit een schoenendoos van mijn moeder gevist en bijeengebracht in een album om te voorkomen dat ze zoek zouden raken. Zwart-witbeelden van een achtjarig meisje tussen beelden van een pubermeid met een te dikke kop, een trappelende baby in de kinderwagen en beelden van mijzelf als studente te midden van vriendinnen. Tom heeft de pagina's opgeslagen en stapt van zijn stoel: plotseling geboeid neemt hij plaats op bed en langzaam bladert hij het album door. 'Ik zou je direct herkend hebben,' zegt hij warm en wat raadselachtig bij een pasfotootje op ongeveer achttienjarige leeftijd. Een bos woeste krullen (waar zijn ze gebleven?) omringt mijn onzekere gezicht, dat recht in de camera van het pasfotohokje kijkt. 'Ik weet zeker dat ik onmiddellijk voor je gevallen zou zijn als ik je toen gezien had,' voegt hij er zacht aan toe. Bij foto's op achtjarige leeftijd straalt hij alsof ik een kind van hem was: 'Kijk nou! Dat is toch een kind om apetrots op te zijn? Om helemaal verliefd op te worden? Moet je kijken naar je ogen: wat een openheid!' Ik grijns wat verlegen, want zulk commentaar heb ik nog nooit gehad. Veel liever heb ik dat hij naar mijn kinderen kijkt, naar al die foto's die mijn moederschap laten zien, die mijn liefde voor mijn kinderen verklaren en misschien duidelijk maken hoe groot de verbondenheid is. Wie weet zouden ze zelfs bij hem wel enige vertedering kunnen losmaken. Het album met mijn jeugdfoto's mag niet op de kast, besluit hij, en hij legt het met een zorgvuldige beweging apart. De andere albums zwiept hij vervolgens zonder enige aarzeling de hoogte in. Weemoedig staar ik ze na; een rugsticker fladdert naar beneden op de grond.

Tientallen witte planken en plankjes staan intussen in een onoverzichtelijke chaos op de overloop hoopvol te wachten tot ze weer de vorm aan zullen nemen van Billy's: Ikea-kasten aan mijn hoofdeind, Ikea-kasten aan mijn voeteneind. Een slaapkamer propvol stofnesten: honderden titels waar ik in zijn huis aan het begin van onze romance dromerig naar staarde na aangename seks, omringen mij straks opdringerig in de slaapkamer. Allemaal zitten ze in het hoofd van de man met wie ik de rest van mijn leven wil delen. Van de meeste kan ik me met geen mogelijkheid voorstellen hoe je in een boekenwinkel kunt staan en kunt besluiten tot juist die aanschaf. Wie koopt er nu, om maar wat te noemen, *Een klein ja, een groot nee* van ene George Grosz, of *De mens is de mens een zorg* van Abram de

Swaan? Tussen al die boeken in de dozen zie ik aldoor weer titels waar ik mijn wenkbrauwen bij optrek en waarvan ik zeker weet dat ik ze voor het eerst van mijn leven zie. Wil ik deze nieuwe man in mijn leven doorgronden, dan zou ik al die boeken ook moeten lezen, bedenk ik ambitieus. Kennisnemen van alles waar hij zijn hersenen mee heeft volgepropt in de jaren zonder mij en beter begrijpen wat voor man ik mijn huis heb binnengehaald.

In ieder geval een man met wie ik zonder één onvertogen woord vier Ikea-kasten in elkaar kan sleutelen, weet ik een paar uur later; dat stemt hoopvol. Na een middagje zwoegen staan alle boeken keurig naast elkaar en schoongeblazen op de witte plankjes. Een paar plankjes waren er nog beschikbaar voor de weinig verheffende thrillers die mij restten nadat Willem er bij onze scheiding al zijn literair verantwoorde werken tussenuit getrokken had. Ook de fotoalbums bleven: die waren onbetwistbaar van mij. Willem verliet huis en haard zonder medeneming van enige geschiedenis.

Bij de scheiding van Tom hebben de fotoboeken kennelijk ook geen onderwerp van strijd gevormd: naast mijn rommelige stapels fotoalbums hoog op de kast zie ik opeens twee keurig rechtopstaande fotoboeken van hem staan: een donkerblauw boekje met foto's uit zijn jeugd en een blauwgebloemd album met foto's van zijn kinderen op peuterleeftijd. De rest heeft hij Hanna mee laten nemen. Het album met zijn kinderen blader ik tot mijn schande slechts vluchtig door: het zijn geen erg leuke foto's, ik kom op te veel pagina's Hanna tegen en Tom lijkt in het album in niets op de macho die ik verliefd in mijn armen heb gesloten. Mutsig is hij in de weer met babyflesjes en fietsstoeltjes. Zouden wij het gered hebben als ouderpaar van een stel baby's? Zou ik al die bemoeienissen van de vader wel geaccepteerd hebben? Had hij mij in mijn hormonale humeurigheid wel kunnen hebben?

Met dezelfde gretigheid als hij stort ik me op zijn album met eigen jeugdfoto's. Als beginnende puber nog geen schoonheid, met wat te veel vet en foute kleren, maar aldoor die prachtige ogen en die trotse uitstraling. Mijn vrijwel kale man van vandaag blijkt als twintiger een zelfverzekerd stuk met een enorme bos krullen geweest te zijn. Zou ik op hem gevallen zijn? Ik herinner me Theo, een jongen in het dorp waar ik woonde. Een stuk ouder dan ik, maar ik koesterde een heimelijke adoratie voor hem toen ik een jaar of veertien was: een grote bos zwarte krullen en bruine ogen die altijd vrolijk twinkelden. In het jongerencentrum kon ik mijn ogen niet van hem afhouden. Als Tom dezelfde twinkeling gehad had, was ik absoluut voor zijn uiterlijk gevallen. Maar terwijl mijn studietijd viel in de jaren tachtig, is Tom een product van de zeventiger jaren. Onze jeugdherinneringen lijken geen enkel raakvlak te hebben. Ik kom uit een tijd waarin sociale bevlogenheid voor sukkels was en hippe kleding de hoogste prioriteit had. Tot mijn schande moet ik dan ook bekennen dat mij weliswaar zijn prachtige ogen opgevallen zouden zijn, net zoals ze dat deden toen ik hem voor het eerst sprak, maar verder zou ik hem al na een eerste gesprek niet interessant meer hebben gevonden. Een twintiger die demonstreerde voor het recht van Marokkaanse jongeren op een eigen huis, die zijn leven wijdde aan de schuldsanering van arme mensen: ik had het een geitenwollen sok gevonden, beken ik schoorvoetend. Ik ben van de ik-generatie, de discodreun, Mac en Maggie-winkels en de hebberigheid. Wij zijn de voorlopers van de generatie-Nix, de niet-betrokkenen, de egoïsten. Wij waren de zorgelozen: geen koude oorlog meer en nog geen Bin Laden, wel de pil maar nog geen aids, wel de hasj (en voor losers de heroïne) maar nog geen partydrugs of onduidelijke pilletjes. Een tijd van oeverloze onbezorgdheid. Hooguit liet je je op straat een donateurschap voor Greenpeace of Amnesty aanpraten, maar de blaadjes die daarbij hoorden las je niet.

Nee, ik was voor die serieuze jongen niet gevallen en ik heb dan ook niet, zoals hij, het sterke gevoel dat we elkaar veel eerder tegen hadden moeten komen. Onze gezamenlijke geschiedenis had wat mij betreft niet verder hoeven gaan dan hij nu gaat. Maar dat neemt niet weg dat ik mijn eigen complete geschiedenis en die van mijn kinderen graag aan hem had opgedrongen. Een laatste poging daartoe onderneem ik als ik de vele filmpjes die mijn ouders liefdevol gevuld hebben met veelal bloedstollend saaie beelden van mijn kinderen, opsla in een grote antieke kist in de woonkamer. Zogenaamd om te kijken of ze nog goed zijn zet ik er een paar op, maar ze wekken geen nieuwsgierigheid, laat staan vertedering. Ik beschouw het dan ook niet als toeval dat Tom kort daarna bedenkt dat zijn grote, gemene cactus in loodzware pot leuk op mijn antieke kist staat. Wat hem betreft begon onze gezamenlijke geschiedenis op de dag dat we elkaar voor het eerst zoenden.

Stiefzoon David is precies het tegenovergestelde van zijn vader: met graagte slokt hij onze geschiedenis op. Urenlang kan hij, als de hindernis van de zware cactus op de kist overwonnen is, naar video's kijken en schateren om kleuter Casper of babbelende peuter Flip met o-beentjes. David wil zich zo snel mogelijk diep in ons gezin nestelen en één geheel worden met elkaar. Bij ons horen. Hij lijkt als geen ander van mening dat je pas een eenheid kunt zijn als je samen een geschiedenis hebt en herinneringen deelt. Eindeloos kan hij aan mijn lippen hangen als ik vertel over vroeger, en komische anekdotes uit het verleden zijn altijd zeer aan hem besteed. Het besef dat ik een groot deel van zijn eigen geschiedenis ken, doordat onze gezinnen al zes jaar lang bij elkaar over de vloer kwamen voordat Hanna en Tom gingen scheiden, doet hem groot genoegen. Wanneer ik herinneringen ophaal aan momenten van hilarische pret die ik met zijn moeder gehad heb in andere tijden, sla ik zelfs een waardevolle brug tussen de twee strikt gescheiden kampen in zijn bestaan.

En langzaam vullen we een eigen geschiedenis. Een nieuw fotoalbum raakt gevuld met nieuwe herinneringen van ons nieuwe gezin, en al snel kijken we met gezamenlijke weemoed of een geamuseerde grijns terug op gebeurtenissen. Tom en ik eindeloos zoenend op het strand bij IJmuiden terwijl er zes kinderen om ons heen spelen en een stel moeders ons in plat Amsterdams op luide toon bespreken: 'Zó zoenen?!? Als je samen zés kinderen hebt? Nee, dat bestáát niet!' We herinneren ons lachend onze eerste vakantie in Frankrijk en de blikken vol ontzag en verbijstering als we met ons zestal in een hotel verschenen en om vier kamers vroegen. Allemaal even grote kinderen: hoe kon dat nou? Waren die allemaal van ons? *C'est vrai ça? Incroyable!* Lichtgewichtje Sophie die op vakantie in de harde wind bijna uit een gehuurde jeep leek te waaien, met z'n allen Flip aanmoedigen die was gescout en mocht voorspelen bij FC Utrecht, David die met zijn blote handen een kreeft ving: de nieuwe beelden stapelen zich op, terwijl de oude fotoalbums onaangeroerd blijven en de cactus steeds langer op zijn plek blijft staan.

Ondertussen dringt het amper tot ons door dat al die gezamenlijke herinneringen voor David en Max slechts de helft van hun leven beslaan. Elke week pakken ze hun tas in om naar hun moeder in de andere helft van hun leven te gaan, waar geen plaats is voor de herinneringen uit ons gezin en waar ze bouwen aan een aparte geschiedenis. Het inmiddels ontstane en volkomen gebrek aan contact tussen hun ouders dreigt ervoor te zorgen dat het straks volwassenen zullen zijn met twee volkomen verschillende geschiedenissen die zich gelijktijdig hebben afgespeeld.

Op een dag stapt op het schoolplein van de basisschool een wildvreemde vrouw doelgericht op me af. Kort, fletsrood huisvrouwenpermanent, een fris gewassen, kleurloos gezicht en stevige schoenen: ze lijkt op het gemiddelde der moeders op deze school, maar ik weet zeker dat ik haar nog nooit gezien heb. Niemand zegt ooit wat tegen me terwijl we braaf bij het hek van de school blijven wachten op onze kinderen, maar zij lijkt duidelijk van plan me aan te spreken en er valt ook niet meer aan te ontkomen. 'Jij bent toch de moeder van Flip?' vraagt ze kordaat. Hoe weet ze dat? 'Wil je me voor het afscheidsfeest van groep acht dan zo snel mogelijk een paar jeugdfoto's van Flip geven?' Wat moet dat mens met foto's van mijn kind? Die zullen groot achter hem geprojecteerd worden terwijl een koor van leerkrachten hem, net als de andere kinderen, persoonlijk zal toezingen. 'Eén foto uit zijn babytijd, één uit zijn kleutertijd en één uit de periode rond groep zeven graag,' zegt ze met een blik alsof ze me met een enorme rotklus opzadelt. Ik doe stoer alsof ik het allemaal niet zo op orde heb, want ik vind die albums van mij wel truttig: tjonge, dat wordt zoeken. Enkele minuten na thuiskomst sta ik al in de slaapkamer voor de grote kast, en ik loer naar boven. Waar zijn de boeken die ik zoek? Veel stickers met nummers zijn verloren gegaan en ik kan er werkelijk geen chocola meer van maken. Er zit dus niets anders op: ik klim op een stoel en gooi grijnzend het ene stoffige album na het andere op bed. Als Tom twee uur later thuiskomt en nieuwsgierig komt kijken wat ik boven aan het doen ben, weet ik mijn stralende uitdrukking net op tijd op zuchtend te krijgen: een lastig klusje. 'Of ik even een paar foto's van Flip wil zoeken uit een bepaalde periode! Wat een gedoe zeg: ik ben al uren bezig, maar heb nog geen geschikte foto's gevonden.' Achteloos schuif ik een openliggend album zijn kant op, in de vurige hoop dat hij geboeid zal raken en bij me komt zitten. Maar hij trapt geheel in mijn act en zoent mij medelijdend op mijn mond, geeft me een bemoedigend klopje op mijn schouder en zegt liefdevol: 'Nou, succes! Ik schenk vast een glas wijn voor je in.' Weg is hij. Ik blader nog wat door, maar de lol is er toch opeens af. Op ons grote bureau aan de andere kant van de slaapkamer ligt het nieuwste fotoalbum: al een stukje gevuld met onze nieuwe, eveneens roze, geschiedenis. Max en Casper als walrussen dobberend in de zee, Anouk smullend van oesters, Flip in de weer met zijn eeuwige voetbal, Tom op een bankje in de Dordogne met zes ijsjes-etende kinderen op een rijtje. Gewoontegetrouw ontbreek ik als fotografe ook in dit album. Niets te zien van ergernissen en frustraties, van bekvechtende pubers en enorme bergen was, van huilbuien in de nacht en zeurkousen die niet met de hond uit willen of van een gang vol neergekwakte schooltassen. Waar ga ik onze nieuwe geschiedvervalsing straks laten, denk ik nu opeens chagrijnig. Ook boven op de hoge kast en buiten ieders bereik? Wat heeft dat plakken dan nog voor zin? Mijn blik gaat nu van het bureau naar de strakke Ikea-kasten, die met gemak al mijn fotoalbums een plaatsje zouden kunnen bieden en ruimte genoeg zouden hebben voor tientallen nieuwe… Als we nou eens een wand vol mooie oude boekenplanken maken in de woonkamer, bedenk ik opeens voorzichtig enthousiast, en al die indrukwekkende literaire werken van Tom naar beneden slepen? En als we al die Billy's dan eens vullen met de oude en de nieuwe albums, en alle albums die nog gaan komen? Keurig op volgorde en voorzien van nieuwe stickers? Gewoon verder werken aan de verslaglegging van mijn geschiedenis als een doorlopend geheel in wisselende samenstelling? Ik moet nog even bedenken hoe ik dit truttige plan aan mijn louter vooruitdenkende man ga voorleggen.

Harde Feiten over Kinderen binnen en buiten het Huwelijk

Kinderen

Van alle eerste kinderen die in Nederland ter wereld komen, wordt 41% buiten het huwelijk geboren; voor tweede en latere kinderen geldt dit in 28% van de gevallen.

In 2005 waren er 36.000 kinderen bij een echtscheiding betrokken: in 90% van de gevallen wordt het gezamenlijk ouderlijk gezag gehandhaafd. De meeste paren die scheiden hebben geen kinderen (bijna 40%) en daarna komen de paren met twee kinderen (bijna 30%). Bijna tweederde van de kinderen die bij een scheiding betrokken zijn valt binnen de leeftijdscategorie 5-14 jaar. [3]

In 8 van de 10 gevallen blijven de kinderen bij de moeder wonen en in 1 op de 10 gevallen belanden ze bij hun vader. Er is slechts een kleine groep waarin de kinderen precies verdeeld worden en op 50/50 basis bij beide ouders leven. Precieze cijfers daarover zijn er niet, tenzij het CBS dit bedoelt met co-ouderschap: 4%.
- 25% heeft in de jaren na de scheiding geen contact meer met de vader.
- 25% heeft in de jaren daarna slecht contact met de vader.
- 66% zegt zelf een goed contact met de moeder te hebben (jongens zijn daarbij positiever dan meisjes).

Stiefgezinnen

40% van de kinderen die na een scheiding bij (één van) de ouders blijven wonen, krijgt een stiefouder. Dit gebeurt gemiddeld 4,5 jaar na de scheiding en het kind is dan gemiddeld 13 jaar oud.

Geschat werd in 2004 dat er op dat moment 250.000 stiefgezinnen in Nederland waren en dat er elk jaar 10.000 bij komen[4]. Jaren eerder wordt al gesproken van 380.000 stiefouders in Nederland[5] (in veel stiefgezinnen is sprake van twee stiefouders). Bij al deze cijfers gaat het alleen om partners die gehuwd zijn of geregistreerd samenwonen. Steeds meer stiefgezinnen worden tegenwoordig echter gevormd door informeel samenwonende paren, waardoor er steeds minder zicht is op de aantallen. In werkelijkheid zullen het er dus nog veel meer zijn. In de VS zijn sinds 2000 al meer stiefgezinnen dan 'gewone' gezinnen.

Jongens zijn positiever in hun oordeel over het stiefgezin dan meisjes: 48% meldt goede ervaringen met de stiefouder, tegen 42% van de meisjes.

---

[3] Centraal Bureau voor de Statistiek, webmagazine januari 2006 en juni 2006
[4] Ietje Heybroek-Hessels en Boukje Overgaauw: *Samen gesteld*, 2004
[5] Tilly Draaisma in haar proefschrift: *De Stiefouder, Stiefkind van het Recht*, 2001

ONGEDEELDE GESCHIEDENIS

6

GEWOONTEN OP DE SCHOP

*De ouder en de nieuwe partner kunnen heel verschillende
meningen hebben over discipline, eetgewoonten, taak-
verdeling, omgaan met seksualiteit of het gebruik van alcohol
en drugs. Bovendien wordt de ouder geconfronteerd met het
feit dat 'een vreemde' zich met zijn of haar kind bemoeit. Dat
alles kan leiden tot onenigheid en tot veel spanningen in een
nieuw-samengesteld gezin.*

Uit: *Opvoeden in nieuw-samengestelde gezinnen,* Inge de Waele, *Kiddo* 1 februari 2001.

'Anouk! Donder op!!' Woedend paniekgeschreeuw uit de keel van haar
stiefbroer David dendert uit de badkamer boven mijn hoofd de trap af.
Zijn hoge stem onderscheidt zich luid en duidelijk van de andere kinderen: geen twijfel mogelijk. Geërgerd kijk ik op van mijn krant: wat nóu
weer? Als je hebt ingezet op harmonie en nieuw geluk, komen dergelijke
geluiden niet gelegen en onwillekeurig kies ik direct partij: waarom doet
die jongen zo vervelend tegen m'n kind? Ook een stiefbroer heeft recht
op ruzie, en soms kunnen we er zelfs bijna vertederd naar kijken als
onze wederzijdse kinderen elkaar 'als echte broers en zussen' letterlijk of
figuurlijk in de haren vliegen, maar op dit moment voel ik geen enkele
vertedering. Die Anouk heeft het naar mijn smaak te zwaar gekregen, nu
ze direct onder zich een blok van vier saamhorige jongens heeft. Niets leuker dan die opvliegende puber zo nu en dan eens een beetje te jennen met
z'n vieren, en ik sla nu dan ook in gedachten een beschermende arm om
mijn dochter heen. Als Tom zijn zoon enkele seconden later bovendien
bulderend bijvalt met: 'Anouk! Ga daar weg! Nu!', spoort elke vezel in mijn
lijf mij aan om naar boven te rennen en orde op zaken te stellen. Maar in
de wetenschap dat ik daarmee hooguit olie op het vuur gooi, blijf ik met
gespitste oren gespannen zitten.

Op het moment dat Tom de kamer binnenloopt, weet ik gespeeld achteloos van de krant op te kijken: 'Wat is er aan de hand?' 'Ach,' moppert Tom nog altijd zichtbaar geërgerd, 'die jongens zitten samen in bad, komt zij opeens de badkamer binnen!' 'Nou én?' reageer ik stomverbaasd. Op hetzelfde moment stormt Anouk in haar nieuwe lingeriesetje woedend en ongegeneerd de woonkamer in: 'Ik wil gewoon even wat pakken, beginnen David en Max opeens als idioten tegen me te schreeuwen! Echt beláchelijk!' De boze kop van Tom maakt wel duidelijk dat hij het gedrag van zijn zoons allerminst belachelijk vindt: 'Die jongens willen gewoon privacy en jij hebt daar dan niets te zoeken; je wacht maar even.' Allebei willen ze mijn steun, dat is duidelijk. 'Joh, Anouk,' grap ik een beetje onhandig, 'je hebt kennelijk twee heel preutse stiefbroertjes!' Ze vindt het helemaal niet grappig, en briesend loopt ze weg: 'Nou! Inderdaad ja!'

Ik zucht vermoeid en verlang opeens heftig naar mijn eigen, vrijpostige gezinnetje van weleer, naar mijn kinderen met z'n allen in het grote bad, naar Anouk die haar broertjes ruimhartig haar nieuwe bobbels liet voelen, naar schaterende kinderen die op elkaars hoofden kunstwerkjes knutselden van het veel te enthousiast ingezeepte haar, naar de vertrouwdheid en het volkomen gebrek aan schaamte. Waarom moeten de nieuwkomers dit nou verpesten?

Onder mijn eigen preutsheid heb ik ondanks alle goede voornemens nooit meer uit kunnen komen. Hoewel ik aanvankelijk stoer de badkamerdeur open liet staan en, weliswaar gegeneerd, in mijn blootje door het huis liep, ben ik daar al snel mee gestopt toen de nieuwsgierige blikken en vragen me te gortig werden. De angstige vraag van de driejarige Flip of dat blauwe touwtje tussen mijn benen pijn deed, toen ik nietsvermoedend stond te douchen, kon ik nog net aan. Lastiger werd het al toen Anouk een tampon zag liggen en precies wilde weten wat dat was: 'Een watje,' antwoordde ik zo achteloos mogelijk en geheel naar waarheid. Maar toen ze informeerde wat je met zo'n watje kon doen, kwam ik tot mijn schande niet verder dan een bedremmeld: 'Eh, nou, je gezicht schoonmaken bijvoorbeeld.' Haar verheugde vraag of ik weer zwanger was, terwijl daar absoluut geen sprake van was, trof mij tenslotte hard en toen was wat mij betreft de maat vol: de badkamerdeur moest op slot, wilde ik ooit nog ontspannen kunnen douchen. Dat nam niet weg dat ik mijn kinderen in vrijheid en blijheid wilde laten opgroeien, en tot nu toe ben ik in die opzet aardig geslaagd. Met medewerking van Willem, moet ik zeggen, die tijdens ons huwelijk geregeld doodgemoedereerd door het huis liep met heen en weer zwiepend lid en deuren onder alle omstandigheden wijd open liet staan. Maar nu steken twee amper tienjarige jongetjes zonder zusje een spaak in het wiel, gesteund door hun vader.

Ik voel opeens heftige irritatie: 'Joh, Tom, stel je toch niet zo aan! Dat kind zit al haar hele leven met die kleine piemeltjes in bad; denk je nou echt dat ze die interessant vindt? Doe toch niet zo moeilijk!' Maar Tom is een trotse vader; het is niet handig om me zo neerbuigend over de mannelijkheid van zijn zoons uit te laten; hij kijkt alleen nog maar halsstarriger. 'Het zijn beginnende pubers. Anouk moet ze met rust laten als ze in bad zitten.' Ik vind het onzin, ik ben het er niet mee eens en ik vind vooral dat die kinderen dat onderling maar op moeten lossen. Het irriteert me bovenmatig dat die twee jongetjes aldoor weer een vader hebben die voor ze in de bres springt en hun conflicten voor ze oplost. Ik heb altijd de gewoonte gehad om mijn ruziënde kinderen samen de kamer uit te sturen met de boodschap: 'Kom maar weer terug als het vrede is.' Als ouder verander je dan direct in hun gezamenlijke vijand en de vrede tussen de kinderen is in zo'n geval al snel getekend.

Van veel gewoonten ben je je niet bewust, of je hebt ze althans niet bewust gepland. Je hebt er eigenlijk nooit over nagedacht of ze goed waren en je ook nooit afgevraagd of je ze niet eens moest vervangen door andere. Ze sluipen erin en kennen vaak vele oorzaken. Jaren geleden doorzag mijn zus er één van, toen ze me met een grijns een *Volkskrant*-cartoon overhandigde die ze voor me had uitgeknipt: een vrouw schept op dat ze een fulltime baan en drie kinderen heeft en dat ze dat uitstekend met elkaar kan combineren. 'Hoe doe je dat?' vraagt een collega haar bewonderend. 'Ik ben een slons,' is het antwoord. Als iemand mij vroeg hoe ik het toch voor elkaar kreeg met een baan en vier kinderen in mijn eentje en hoe het toch kwam dat ze niet eindeloos aan mijn kop zeurden of voortdurend ruzie maakten, antwoordde ik altijd dat dat allemaal dankzij mijn luiheid was. Ik ben een luie moeder, en volgens mij maakt dat je al snel een goede moeder, zolang je maar goed blijft nadenken en opletten. Al die overijverige carrièremoeders die na hun werk hun schuldgevoelens laten overheersen en een hoop tijd en energie steken in de 'quality time' met hun kinderen, realiseren zich niet dat er op een dag toch weer sociale wezens uit moet groeien die het belang van anderen kunnen en willen zien. Hun kinderen zijn echter opgegroeid met het idee dat het in het leven uitsluitend om hun tevredenheid en geluk draait, en hun ouders hebben de macht geheel uit handen gegeven. De machteloosheid van de hedendaagse ouder, die al aan de baby en de peuter voortdurend de vraag stelt wat hij toch wil, ondermijnt niet alleen zijn eigen gezag, maar creëert een egocentrische generatie. Dit inzicht begint ook elders door te dringen: in de Verenigde Staten werd schrijfster Muffy Mead-Ferro bejubeld in de Oprah Winfrey show naar aanleiding van haar pleidooi voor het luie moederschap,[6] dat ze juist schreef om te voorkomen dat de wereld straks opgescheept zit met een generatie verwende nesten. Ook Xandra Schutte relativeerde in *de Volkskrant* onlangs de waarde van de overijverige moeder: 'Kinderen zijn waarschijnlijk meer gebaat bij liefdevolle verwaarlozing dan bij neurotische overbezorgdheid.'[7]

Aan dat alles heb ik overigens in het geheel niet gedacht toen ik de gewoonte opvatte om mijn kinderen vooral op alle dagelijkse terreinen van het leven mijn wil op te dringen. Met vier kleine kinderen die allemaal wat anders willen, is het om te beginnen al veel minder te doen om overal inspraak in te geven, en het is me eenvoudigweg ook te lastig. Het is zó veel gemakkelijker om gewoon lekker in je eentje te bepalen wat de pot schaft, om zonder kinderen de stad in te gaan en zonder enige vorm van inspraak kleren voor ze uit te zoeken, om simpelweg 'nooit' te zeggen als ze vragen wanneer wij nu eens naar Disneyland gaan of 'nee' als ze vragen of je Monopoly met ze wilt spelen. 'Spelen is jullie werk; ik heb niet voor niets zo veel broertjes en zusjes geregeld! Vermaak je!' Ik was er om voor ze te zorgen en dat deed ik naar eigen inzicht, zo goed mogelijk en zonder veel inbreng van wie dan ook.

Aangezien Willem zich het liefst verre van opvoeden hield en hij gemakzuchtig en probleemloos mijn rituelen overnam, had ik er nog nooit strijd over hoeven te voeren. Hoe we omgingen met basale dingen als eten, slapen en wassen, bepaalde ik zonder enige vorm van discussie. Wat de kinderen wel of niet mochten, was mijn zaak en besprak ik hooguit vrijblijvend met vriendinnen. Alleen mijn moeder verzuchtte zo nu en dan grijnzend dat ik 'toch wel een rare moeder' was, maar ze was niet bij machte mij daarvoor enige sanctie op te leggen en ze vond mijn manier van moederen eigenlijk ook wel leuk. Bovendien kon ze niet anders dan inzien dat het mijn kinderen goed ging: ze waren vrolijk, voelden zich vrij en maakten zelden ruzie. Niet met mij, maar ook niet met elkaar. Als ik na de scheiding kapot thuiskwam van alle lessen die ik gaf, met een enorme stapel correctiewerk in mijn tas, moesten de kinderen vroeg naar bed. En als ze protesteerden met een verbaasd: 'Ja maar, ik ben nog helemaal niet moe!' reageerde ik nuchter met: 'Nou én? Ik wel!' Kinderen van vier

---

6   *Confessions of a Slacker Mom* (Bekentenissen van een luie moeder), Muffy Mead-Ferro. (Dezelfde auteur schreef *Confessions of a Slacker Wife*).
7   *Moeder bepaalt je succes*, Xandra Schutte in *de Volkskrant*, 17 september 2005.

verschillende leeftijden in vier etappes naar bed brengen en vier keer op een avond die trappen op en af, liedjes zingen en de lieve moeder uithangen? Ik had er de energie eenvoudigweg niet voor, en dat maakte mijn kinderen in de ogen van mijn moeder zielige schepsels. Consequent was ik in mijn moeders ogen ook veel te weinig: waarom mochten de kinderen de ene dag wel het huis op de kop zetten met keiharde muziek en moest het op andere dagen stil zijn? Waarom liet ik ze de ene dag wel opblijven tot negen uur en de andere niet? Omdat ik de ene dag een andere bui had dan de andere, en dat legde ik ze ook uit. Ik was alleen consequent als ik eenmaal 'ja' of 'nee' gezegd had, tenzij er heel goede argumenten kwamen die mij lieten zien dat ik fout zat.

Huishoudelijke klussen waren iets voor tussen de bedrijven door. Het bad deden we vaak al voor het eten: terwijl ze met z'n vieren in de grote bak water zaten, maakte ik de wastafels en de wc schoon, sorteerde ik de was en legde ik vast kleren voor de volgende dag klaar, want ook daar gold zo weinig mogelijk inspraak. Schoonmaken was altijd iets waar ik de gaatjes in de tijd mee vulde, juist omdat ik er zo de pest aan had. Hoe meer je met elkaar combineerde, hoe gemakkelijker je tijd overhield om lekker onderuit te hangen met een glas wijn of een kop koffie. Strijken deed ik alleen bij een leuk televisieprogramma, en de afwasmachine vulde ik (zo geruisloos mogelijk) tijdens het telefoneren. Natuurlijk was er altijd het schuldgevoel, en natuurlijk vond ik mezelf in mijn eeuwig rondrazende auto een waardeloze moeder als ik naar de lieve schatten op de fiets keek die met hun kinderen boodschappen deden en ze geduldig inspraak gaven bij de keuze van het eten of de discussie aangingen over de aanschaf van een pak hagelslag. Maar dat paste niet bij me, al had ik zeeën van tijd gehad. Als geen enkel kind van eten houdt, zelfs niet van pizza of patat, ben je weinig geneigd om ze inspraak te geven want dat leidt tot niets. Inspraak zou bij mijn kinderen geleid hebben tot het overslaan van maaltijden. Ik had verstokte niet-eters, wat ik ook probeerde, en daaruit zijn gewoonten voortgekomen die bij Tom weinig weerklank vinden. Hij ergert zich dood aan al die halfvolle borden die worden afgeruimd, maar ik heb allang opgegeven mij daar druk over te maken. Alles heb ik al geprobeerd, en het irriteert me dan ook mateloos als hij doet alsof het bij hem anders gelopen zou zijn. 'Ik zette ze altijd met hun bord op de trap,' meldt Tom op een avond trots, 'en dan hadden ze hun eten zo op!' Meewarig kijk ik hem aan: hij heeft echt geen idee wat niet-etende kinderen zijn. Die van mij zouden er om elf uur 's avonds nog gezeten hebben, al was het maar omdat ze op die manier lekker laat naar bed konden. De kinderstoel met de rug naar de tafel draaien en geen toetje als het bord niet leegkwam waren sancties voor beginners. Mijn kinderen wílden namelijk helemaal geen toetje, en als ze met de rug naar de tafel zaten hoefden ze dat smerige eten tenminste niet te zien. De keuze geven tussen mee-eten met wat ik gekookt had of droog brood was simpel: ze kozen voor het brood. Niet dekken voor een kind dat 'toch nooit' at, leidde alleen tot vreugde: Yes! Honger laten lijden werkte al helemaal niet, want mijn kinderen kenden geen honger, of misschien vonden ze het een aangenaam gevoel. In ongeduld toch dreigen dat je het eten desnoods in de oren zou proppen omdat je het hoe dan ook dat hoofd in wilde hebben, hielp zelfs niet: uitdagend keken ze me aan met de lippen stijf op elkaar geperst. Eten was een ramp, en vanaf de scheiding vatte ik de gewoonte op om ze de keuze te laten: ik wilde er geen strijd meer over voeren. Een leeg bord was maar een relatieve verworvenheid, besloot ik, en eigenlijk alleen maar gemakkelijk in verband met de afwasmachine. Ik was tevreden met elke hap die er vrijwillig in ging. Dat was dan meestal wel boerenkool of andere oud-Hollandse kost, want die enkele happen moesten wel gezond zijn. 'Zo,' grapte ik ooit tegen Caroline toen ik in haar gezelschap een kilo spruitjes had schoongemaakt, 'die gaan straks allemaal in de vuilnisbak. Maar ik kook ze altijd wel eerst even.' Tom blijkt niet alleen te vinden dat borden leeg moeten; hij heeft ook de oer-Hollandse traditie van de toetjesstraf altijd trouw gehanteerd: bord niet leeg is geen toetje. Ik haat dat. Ik haat om te beginnen het woord 'toetje' al, maar ik begrijp ook wel dat 'dessert' voor een kledder vla te veel eer is. Ik had niet vaak een dessert, omdat ik liever had dat de kinderen hun boerenkool aten. Maar als ik wat had, dan stond het nuttigen ervan volkomen los van het overige eetgedrag. We zetten twee pakken vla of vruchtenyoghurt op tafel, en wie drie bakjes wilde, nam gewoon drie bakjes. Dik werden ze toch niet, mijn kinderen. Grote klodders jam in de yoghurt, veel suiker: geen probleem wat mij betreft. En nu, in ons nieuwe bestaan, weigert Tom mijn kinderen een lullig bakje zuivel omdat ze hun bord niet leeggegeten hebben. Ik vind het té burgertruttig voor woorden en ga de strijd aan: 'Ik ben ertegen, Tom, ik wil dat echt niet aan elkaar verbinden.' Ik zie dat hij niet geneigd is bakzeil te halen en ik gooi mijn laatste tactiek in de strijd: 'Laat ik het zó zeggen dan,' zeg ik nu gespeeld nuchter, 'míjn kinderen mogen een toetje, ook als ze hun bord niet leeg hebben. Dat is altijd zo geweest en zo laat ik het. Wat jij met jouw kinderen wilt, moet je zelf weten.' Ik weet hoe graag hij wil dat we met alle kinderen één lijn trekken, en hij geeft met een geïrriteerde schouderophalen toe. Als David op een avond mijn zuurkoolstamppot griezelend laat staan, valt hij vervolgens dankbaar aan op twee bakjes door hemzelf gecreëerde dubbelvla.

Vond ik mijn eigen arsenaal aan keuzemogelijkheden van gerechten al klein als ik ze afzette tegen de kans dat ze in kindermagen zouden verdwijnen: bij Tom is de variatie wel héél erg klein. Wat pasta betreft willen zijn kinderen uitsluitend spaghetti zonder saus, waarbij zonder uitzondering gekookte broccoli en komkommer in dikke plakken wordt geserveerd, altijd zonder dressing. Naast de spaghetti ligt geraspte Hollandse kaas, en een kledder tomatenketchup over het geheel is toegestaan. Bij kale rijst horen sperziebonen of snijbonen en in geval van gemakkelijk eten staan er broodjes knakworst of vissticks met appelmoes op het menu. Voor mijn plezier komt er wel een pan tomatensaus bij de pasta op tafel te staan, compleet met knoflook en gehakt, maar tegen de tijd dat ik die over mijn bord kan gieten is het al te laat: de overgare plakkerige kluit Honigslierten laat zich al niet meer redden. Mijn kinderen vinden het prima en strooien enthousiast met kaas en ketchup. De jongens van Tom zijn veelvraten in mijn ogen, gewend als ik ben aan mijn muizenhapjes-nemende tafelgenoten. Elke keer als ik het eten voor ze opschep, vragen ze om 'nog een beetje', terwijl ik hun borden voor mijn gevoel al idioot vol heb geladen. Met nog vier kinderen aan tafel lijken ze voortdurend bang dat ze te weinig krijgen en ik ken dat niet. Tom lijkt hun angst wel te delen, want als ik klaar ben met opscheppen besluit hij niet zelden dat zijn jongens nog een schep extra behoeven. 'Laat ze eerst maar eens opeten wat ze hebben!' snauw ik op zo'n moment geïrriteerd. 'Ze hoeven hier echt niet om te komen van de honger, hoor!' Ze zijn een stuk steviger gebouwd dan mijn kinderen en zullen best meer nodig hebben dan mijn sprinkhanen, maar het lijkt mij onzin dat een kind van negen meer eet dan een volwassen vrouw van veertig, en ik moet echt oppassen dat ik niet kinderachtig de strijd met ze aanbind en ze steeds minder geef bij de eerste opscheprone. Misschien ben ik gewoon jaloers op kinderen die van eten houden: wat zou mijn leven een stuk simpeler geweest zijn zonder die eeuwige zorg of mijn magere sprietkinderen wel voldoende voedingsstoffen binnenkregen.

Ook de bedrituelen uit onze twee gebroken gezinnen lopen sterk uiteen. Bijna beschamend. Op het moment dat Tom in mijn leven komt, heb ik allang de gewoonte opgevat om alleen Sophie nog liefdevol naar bed te brengen; de rest gaat al jaren zelf. Onderuitgezakt voor het Journaal, met een kop koffie op de bank, riep ik ze op badloze avonden altijd zo opgewekt mogelijk na: 'Handen, tanden, gezicht, en wie een kus wil, moet hem maar komen halen!' De kinderen vonden het al snel heel gewoon en genoten ook wel van de vrijheid om zelf hun licht uit te doen als ze het daar de tijd voor vonden. Anouk leek geen slaap nodig te hebben, en haar humeur leed daar nooit onder: haar kwam ik geregeld om een uur of tien nog tegen in de badkamer terwijl ze met haar lange haren in de weer was, en wat de jongenskamer betrof kon ik er altijd van op aan dat Flip wel zou zorgen dat het licht op tijd uitging: hij hield van slapen. Op dagen van echte uitputting verzocht ik mijn drie oudsten zelfs wel eens vriendelijk om even een liedje bij het bed van Sophietje aan te heffen; als ik ze dan boven welwillend brommend een slaapliedje hoorde zingen na eerst tien minuten overleg over de vraag welk liedje het moest worden, stonden de tranen van ontroering in mijn ogen. We deden het goed met z'n allen.

Maar nu is er Tom, en met hem is er niet alleen een heerlijke nieuwe liefde mijn huis binnengekomen maar hebben ook nieuwe gewoonten hun intrede gedaan, die theoretisch net zoveel bestaansrecht hebben als de mijne. Die van hem zijn veel gewoner en alom gerespecteerder dan de mijne en ik voel me bekritiseerd in mijn moederschap en mijn eigenheid. Vanaf het moment dat Tom bij me is ingetrokken zijn de vier jongens gehuisvest op de immense zolder boven in het huis, waar we eigenlijk nog muren in willen laten zetten. Op verzoek van de vier bewoners hebben we dat nog even achterwege gelaten; het is elke avond slaapfeest, en muren verpesten dat maar. Tom heeft niet alleen zijn eigen vaste rituelen met de kinderen, maar bovendien de drang om zijn jongens in deze verwarrende tijden van een scheiding en een nieuw gezin goed op te vangen, en dat siert hem. Dat leidt alleen wel tot de bizarre situatie dat hij elke avond twee trappen bestijgt en geduldig zijn rol vervult als goede vader, terwijl ik als luie moeder genoeglijk voor het Journaal blijf hangen. Mijn beide stiefzoons krijgen elk minstens een kwartier hun vader op de bedrand, die de dag met ze doorneemt, vraagt hoe het met ze gaat, grapjes met ze maakt, ze instopt en een nachtzoen geeft. Casper en Flip liggen ondertussen zwijgend aan de andere kant van de zolder te luisteren. Ze voelen zich duidelijk wat stoerder dan hun stiefbroers en dat gevoel steun ik natuurlijk van harte, want het geeft mij het recht om te blijven zitten. Als de missie van Tom erop zit en hij de zolderverdieping verlaat, groet hij nog even vriendelijk mijn jongens vanuit de verte: 'Welterusten, slaap lekker!' Casper kan meestal nog net op tijd zijn boek wegleggen, want zonder een waarschuwing is het licht opeens uit en is de zolder aardedonker.

In mijn zelfgenoegzaamheid ben ik van mening dat Tom zich maar moet aanpassen en ik wil dat zelfs snel, want ik vind het niks dat mijn kinderen elke avond een lieve vader in actie zien terwijl ik niet verschijn. Zo meteen gaan ze met terugwerkende kracht nog vinden dat ik een rotmoeder ben. Bovendien wil ik in de avond eindelijk zelf wel eens aandacht. Praten met je kinderen kan ook best op een ander moment van de dag: waarom moeilijke gesprekken houden als ze net lekker gaan slapen? 'Je pampert ze te veel,' zeg ik dan ook nijdig als Tom weer eens een half uur boven is gebleven. 'En het is ook raar tegenover mijn kinderen.' Zelfs Sophie heeft mij inmiddels te kennen gegeven dat ze nu zes is en heus wel alleen naar bed kan; moet dat gedoe van hem met zijn jongens dat nou verstoren? Ik vind het zo heerlijk om 's avonds te kunnen blijven zitten, maar ik snap wel dat mijn luiheid als argument weinig indruk zal maken: goede ouders brengen hun kinderen naar bed, en ik kan het gewoon niet uitstaan dat er nu zo'n goede ouder in ons midden is.

Het duurt nog enkele maanden, maar dan heeft mijn gebrek aan bedritueel het gewonnen: David en Max vinden het toch wel wat kinderachtig, die vader aldoor op de bedrand. Victorie.

Mijn gemakzucht zou mijn kinderen opvoeden tot flexibele mensen; daar ben ik altijd van overtuigd geweest. Een jongetje dat verontwaardigd kwam melden dat er geen schone onderbroeken meer in zijn kast lagen, stuurde ik glimlachend terug naar boven: 'Nou én? Dan pak je toch gewoon een zwembroek?' Ze moesten vooral leren dat de dingen nu eenmaal zo waren als ze kwamen en dat zeuren niets oplevert als een oplossing niet één twee drie voorhanden is. Zeuren over een gebrek aan schone onderbroeken leidt niet automatisch en direct tot een schone was, en ik wil dat ze dat begrijpen. Vind je je eten niet lekker, dan eet je het maar niet, maar dat leidt dan dus wel tot een hongergevoel, want je krijgt niets anders.

Tom is heel anders: hij wil er absoluut zeker van zijn dat het zijn kinderen aan niets ontbreekt, en naar mijn smaak slaat hij daarin door. Zelfs als Max op een avond ontstemd komt melden dat zijn favoriete merk tandpasta op is, terwijl er wel een ander merk staat, belooft Tom de volgende dag direct voor aanvulling te zullen zorgen. Hij toont er alle begrip voor dat je je tanden niet wilt poetsen met een 'vies merk' en mijn geschamper daarover wekt alleen maar irritatie. Ik voel zijn oordeel: je bent onaardig, je bent lui en je opvoeding leidt tot weinig goeds – kijk maar eens naar al die rotzooi hier in huis! Steeds meer zijn we verzeild geraakt in een opvoedwedstrijd onder de oppervlakte, maar er is geen scheidsrechter.

Wat de orde in huis betreft kan ik niet anders dan Tom zwijgend gelijk geven in zijn niet-uitgesproken oordeel. Mijn gemakzucht, moet ik bekennen, heeft ook weer tot gemakzuchtige kinderen geleid. Dat heeft voordelen, maar waar ik echt gefaald heb, is op het punt van opruimen: mijn kinderen zijn abominabele opruimers. Dat is mijn schuld. Het is namelijk veel eenvoudiger om zelf maar gewoon even de rommel weg te werken na een woensdagmiddag met een huis vol kinderen dan om op dit punt een goede opvoeder te zijn. Liever kwakte ik in de avond zelf het speelgoed in de juiste bakken of in de juiste kast, dan dat ik mijzelf het eindeloze gezeur van de rechtvaardigheid aandeed. In een huis met vier kinderen zijn er maar twee manieren om ervoor te zorgen dat iedereen zijn eigen troep opruimt: je volgt de kinderen nauwlettend en zodra er eentje overschakelt van het ene spel op het andere, draag je hem op eerst de boel eens op te ruimen. Dat vergt niet alleen veel aandacht voor hun bezigheden, maar het verstoort ook het ontspannen plezier in spelen. Een andere manier is om iedereen gewoon lekker zijn gang te laten gaan en aan het eind van de dag elk kind de opdracht te geven het speelgoed op te ruimen waar hij mee gespeeld heeft. Maar dan kom je in de problemen, want iedereen blijkt elk speeltje wel een keer aangeraakt te hebben. Je kunt vergaderingen beleggen om te achterhalen wie verantwoordelijk is voor welke troep, maar daar ben ik weer te lui en vooral ook te ongeduldig voor. Met z'n allen gewoon alles opruimen gaat me ook veel te langzaam en geeft te veel ergernis: geen kind wil bijvoorbeeld alle kleine K'nexdingetjes bij elkaar rapen, dus als je nou de viltstiften eens keurig en vooral langzaam op kleur sorteert, ontkom je aan de rotklusjes. Ik doe het daarom op een later tijdstip liever even snel zelf. Dat is dom, weet ik inmiddels, want dat leidt tot pubers die nog altijd vinden dat jij de troep maar het beste op kunt ruimen en die zelfs bereid zijn de privacy van hun eigen kamer daarvoor op te geven.

Tom slaat geregeld verbijsterd gade hoe ik mijn kinderen met hun troep laat wegkomen. Met de tafel in de woonkamer vol schoolspullen, een jas over de bank en de gymspullen op het vloerkleed laat ik ze zonder problemen naar buiten gaan om te voetballen, maar Tom fluit ze terug. Het voelt alsof ik zelf word teruggefloten, en ik voel me een stout kind. 'Laat me toch!' wil ik geïrriteerd snauwen, maar ik heb geen argumenten en hier kan ik dus niet anders dan bakzeil halen. Dat doe ik op een weinig solidaire en nogal laffe manier: 'Tom is nu eenmaal heel erg netjes,' zeg ik zwak tegen mijn kinderen, 'en hij woont hier nu ook, dus we moeten daar gewoon rekening mee houden. En hij is wat dat betreft veel normaler dan ik, hoor; het is best gek dat jullie altijd maar alles achter jullie kont mogen laten liggen, dus pas je maar een beetje aan.' Ik ben tien jaar lang getrouwd geweest met hun vader, en hij spande met zijn rotzooi absoluut de kroon:

ik kan wel wat hebben inmiddels. Hikkend van het lachen knipte ik ooit de column Slachtoffers der Materie, van Beatrijs Ritsema uit het *NRC*: het ging zonder enige twijfel over mijn ex en ik heb het sterk vergeelde papiertje nog steeds. Dat ik na Willem een man zou treffen die zo dramatisch het tegenovergestelde van hem zou zijn, had ik nooit kunnen vermoeden. Tom is van het opruimsoort: troep moet onmiddellijk weg. En als je daar strak aan vast wilt houden in een gezin met zes pubers, heb je een hele taak. Gelukkig begrijpt hij wel dat hij mij buiten zijn strakke regime moet laten en ik bedreig hem ook rechtstreeks als ik zeg: 'Geef mij één keer de opdracht om mijn spullen op te ruimen, en ik ben weg!' Tegelijkertijd doe ik mijn best om wat netter te worden, voor zijn plezier.

Opgelucht zie ik intussen hoe David en Max van hun kamer net zo'n baggerbende maken als mijn kinderen; opvoeding had dus toch niets geholpen. Goed dat ik daar niet zo veel tijd aan besteed heb. Maar als Tom zijn jongens opdracht geeft hun kamer op te ruimen, doen ze het ook. Mijn kinderen gaan op zo'n moment ook braaf naar boven, maar komen daar aldoor weer iets tegen dat toch leuker is dan een opgeruimde kamer en lappen hun opdracht direct weer aan hun laars. Bij mij kon dat; ik riep wel voortdurend dat ze moesten opruimen, maar vergat het ook meteen weer. Nu ze in de puberleeftijd zijn, zijn ze er wat mij betreft zelf verantwoordelijk voor en is de schaamte geheel voor hun rekening als er een leuk vriendinnetje op bezoek komt dat plaats moet nemen tussen bemodderde sokken en gebruikte onderbroeken. Ik bemoei me daar niet meer mee. Wat je niet in de was gooit, wordt niet schoon: zo simpel is het wat mij betreft. Maar Tom is daar geheel anders in, en het is voor mij voortdurend wennen en slikken. Want je kunt wel mopperen op troep, maar moeilijk op orde en netheid. En toch voelt het helemaal niet lekker. Als ik thuiskom en mijn tas in de gang kwak, wil ik hem daar een paar uur later gewoon kunnen pakken. Maar Tom heeft hem al op zijn plaats bij de computer gezet. Ik herinner me hoe Hanna me ooit vertelde hoe ze 's morgens een lippenstift mee naar beneden nam met de bedoeling om eerst even te ontbijten en dan pas haar lippen te kleuren, en hoe hij het ding alweer naar boven had gebracht voordat ze haar brood op had. Ik schaterde toen om het verhaal, maar nu zitten mijn kinderen en ik met de gebakken peren. Onze gezellige slordigheid kan niet meer.

Als we al een tijdje samen zijn en we ons enigszins hebben weten te schikken, sjok ik op een zonnige februaridag mokkend naast Tom voort over het centrale pleintje vol sinaasappelbomen in Marbella. Het is onze eerste vakantie in Andalusië, en voor het eerst sinds onze komst in Spanje schijnt de zon eindelijk uitbundig. De knaloranje vruchten boven onze hoofden lichten vrolijk op, en elk moment kan er één met een doffe klap op de stenen voor ons of op ons hoofd landen. Overal waar we kijken liggen uiteengespatte sinaasappelen; de bomen hangen vol rijpe exemplaren, maar niemand plukt ze. Ik ben uit mijn humeur. In een van de grote sportwinkels tussen de mondaine boetieks heb ik een wereldvoetbal zien liggen voor Flip: een bal van zijn favoriete club FC Barcelona, met handtekeningen van alle spelers erop. Ik stond al bijna met het ding bij de kassa, toen ik een zeer ontstemde Tom in mijn ooghoek zag staan. 'Dat kun je niet maken,' mopperde hij. 'Alleen als je voor de anderen iets soortgelijks koopt, en dat is weer veel te duur.' Woedend staarde ik hem aan met de bal onder mijn elleboog geklemd: 'Mijn kinderen begrijpen heus wel dat ik zo'n bal voor Flip niet kan laten liggen!' Ik heb mijn kinderen geleerd niet te tellen: de ene keer krijgt de een wat, de andere keer de ander. En ze hebben er het volste vertrouwen in dat het uiteindelijk allemaal wel eerlijk verdeeld zal zijn. Mijn jongste zoon is een geweldige voetballer, volkomen van plan een echte prof te worden; voetbal is zijn leven en dat weet iedereen. Niemand zal hem die bal misgunnen. 'David en Max zullen het niet begrijpen. Ik vind dat het niet kan,' hield Tom boos vol terwijl de mooie jongen achter de kassa afwachtend naar de bal onder mijn arm keek.

We zouden nog maar twee dagen samen hebben in Spanje, en de ervaring heeft mij inmiddels geleerd dat er in zo'n geval twee opties zijn: met een bal in mijn koffer de rest van onze week in een rotsfeer doorbrengen, of het ding laten liggen. Zwaar geïrriteerd heb ik voor het laatste gekozen, maar het lukt me niet om mijn ergernis te laten varen. Ik wil die bal verdomme. Heel even vind ik er niets meer aan, aan dat hele stiefstel dat zich maar niet wil voegen en mijn leven stuurt. Als ik niet eens meer mijn eigen keuzes mag maken voor mijn eigen kinderen, als ik niet eens meer mijn eigen lijn mag volgen in mijn eigen gezin, hoe worden we dan ooit een eenheid met z'n allen, denk ik volstrekt onredelijk.

Vervolg van bladzijde 28

Mijn reactie op de top tien van 'aandachtspunten voor stiefgezinnen'

(Deze top tien is samengesteld door Ietje Heybroek-Hessels, in: *Samen Gesteld – de dynamiek van het stiefgezin*, 2004.)

4.   Bespreek samen met je partner welke regels jullie willen gebruiken voor de kinderen.

Net zomin als ouders tijdens een eerste zwangerschap al kunnen overzien welke regels ze allemaal willen gaan hanteren als het kind er eenmaal is, kun je bij de start van een stiefgezin bepalen welke regels je precies gaat gebruiken. Net zomin als je in een gezin met veel kinderen alle kinderen precies volgens dezelfde regels behandelt (ook al maak je jezelf dat misschien wijs), hoeven stiefkinderen en kinderen direct over één kam geschoren te worden. Als je zelf ook kinderen hebt, en je stiefkinderen met geheel andere regels zijn grootgebracht, dan is er geen enkele noodzaak om direct alles op de schop te nemen en op elkaar af te stemmen. Op die manier voelt geen enkel kind zich meer thuis. Afstemming kan heel geleidelijk gaan, maar het is wel belangrijk dat je altijd open bent, en uitlegt waarom er misschien verschillende regels gelden in huis. Een paar basisprincipes vaststellen die voor iedereen gelden, kan geen kwaad. Zo stelden wij direct de regel in dat het een kind niet toegestaan was om speelgoed, computerspellen, boeken, enzovoort geheel voor zichzelf te reserveren.

5.   Praat als nieuwe partners samen over de incidenten die zich voordoen. Neem als biologische ouder het initiatief. Steun je nieuwe partner openlijk in het bijzijn van het kind en stel je open voor de moeite die je kind ermee heeft, maar verlang wel respect voor je nieuwe partner.

Ofwel: wees een therapeut. Of: laat je in stukken trekken. Want ga d'r maar aanstaan: open het gesprek bij 'incidenten', steun vervolgens zowel je partner als je kind en zorg dat iedereen elkaar respecteert. Het wordt nog wel eens vergeten, maar een stiefouder is ook maar een mens. En die heeft bij incidenten ook een mening, die zelden steun inhoudt voor beide partijen tegelijk. Mijn advies voor de biologische ouder: als je partner en je kind in strijd verwikkeld zijn, beschouw het dan als hun zaak, laat ze hun strijd voeren en ga een eindje om. De meeste strijd is er namelijk op gericht om jou in het eigen kamp te krijgen, en ben je uit beeld, dan is met jou niet zelden de reden voor strijd de deur uitgewandeld. Het is niet altijd even eenvoudig om je partner het vertrouwen te geven en je kind in zo'n situatie bij hem of haar achter te laten, maar uiteindelijk levert het meer resultaat op en bespaart het jou een enorme hoeveelheid stress.

Wordt vervolgd op bladzijde 132

7

WISSELSTRESS

*Vele samengestelde gezinnen vinden na enige tijd samenwonen
een bevredigend evenwicht tussen afstand en nabijheid,
tussen weggaan (naar de andere ouder) en terugkeren, tussen
loyaliteiten naar vader en moeder, die over verschillende
gezinnen verdeeld zijn.*

Uit: Studiedag *Vallen en Opstaan*, workshop Adolescenten in Samengestelde Gezinnen,
May Michielsen, klinisch psychologe. http://users.pandora.be/lerenoverleven.

Zondagavond kwart voor zes. David en Max doen hun best ontspannen
naar de televisie te kijken, maar in het lijf van David groeit de onrust
zichtbaar. Nerveus schieten zijn blikken ons elke minuut voorbij naar het
raam aan de voorkant van het huis. Tom en ik zitten aan tafel met een glas
wijn, de kaarsen genoeglijk aangestoken en alles op de stand 'harmonie':
kijk ons eens gelukkig. Hanna is in aantocht voor het tweewekelijks ritueel. Zondagsavonds om zes uur rijdt zij voor met het mini-autootje van
Green Wheels, dat zij precies achter de grote conifeer van de buurvrouw
parkeert, in een bijna komische zucht naar privacy. De favoriete parkeer-
plek dwingt haar vervolgens tot een wandeling van zo'n dertig meter om
ons huis heen, naar de zijkant van het pand. Als uit het niets zal zij straks
weer opdoemen vanachter de conifeer, en met de blik strak voor zich uit
zal ze de afstand in straf tempo afleggen; nooit komt ze in de verleiding
om een blik naar binnen te werpen. De kinderen zullen haar direct spot-
ten en opspringen, en Tom zal met dezelfde weerzin als altijd pas opstaan
als de kinderen de voordeur al geopend hebben, uit onwil om ze weer af
te staan. In de voordeur zullen de kinderen door een barrière van groot on-
gemak heen moeten voordat ze met hun moeder in de auto kunnen stappen. Vader die ze demonstratief in de deur nog een zoen geeft en ze bijna
opdringerig liefdevol een fijne week wenst terwijl hij de moeder negeert,
moeder die ze veel te enthousiast jubelend ontvangt en doet alsof ze de
vader in het geheel niet opmerkt. Tom zal achter zijn kinderen het tuinpad

aflopen en op de hoek wachten tot hij kan zwaaien, terwijl moeder elke keer weer zó raadselachtig lang bij de auto achter die conifeer blijft hangen, dat ik steeds weer denk dat ze stiekem in de achteruit is weggescheurd om niet langs die zwaaiende man te hoeven. Twee pubers in een veel te klein autotje gepropt proberen zich vervolgens achterom te draaien zodat ze zo lang mogelijk naar hun vader kunnen zwaaien, terwijl ik binnen geërgerd zucht: wanneer komt die man eens binnen en kunnen we verder met ons leven?

Hanna is laat deze keer, en David kan zijn zenuwen niet meer bedwingen. Hij heeft nu openlijk plaatsgenomen voor het raam en staart naar de conifeer, van waarachter zijn moeder straks zal verschijnen. Van een ontspannen sfeer kan in deze kamer geen sprake meer zijn. Waar maakt hij zich zorgen over? Dat ze zomaar niet zal komen? Hij weet toch wel dat dat ondenkbaar is? Ziet hij op tegen het moment van afscheid, tegen het moment dat zijn beide ouders in kilte gehuld op dezelfde vierkante meter zullen staan? 'Ja! Daar is mama!' roept hij opeens gespannen en opgelucht tegelijk. We kijken op, fronsen onze wenkbrauwen even in onbegrip en tegelijk met David barsten we in lachen uit. David kan zijn zenuwachtige lachbui amper meer beheersen en de andere kinderen schieten tevoorschijn om te zien wat er zo grappig is. Vanachter de conifeer is zojuist een stokoud vrouwtje in het gezelschap van een rollator tevoorschijn geschuifeld, dat in geen enkel opzicht aan Hanna doet denken. Mijn jongens rollen over de grond van het lachen, David grijnst nu beschaamd, Tom kan het niet laten een grap te maken over de rimpels van Hanna die toch ook weer niet zó overweldigend aanwezig zijn en Max lijkt wat te aarzelen, alsof hij tóch het gevoel heeft dat hij zijn moeder uitlacht.
Tien minuten later speelt het verhaal zich toch nog volgens vast scenario af, en terwijl de kou het huis binnendendert door de opengelaten voordeur, staat Tom zijn kinderen na te zwaaien alsof het maar zeer de vraag is of hij ze ooit nog terug zal zien. Een treurige man op de hoek van de straat. Hoe gaat dat daar in die auto verder, vraag ik mij elke keer weer af. Zijn ze op het moment dat ze zich terugdraaien naar de rug van hun moeder niet meer van ons? Vallen ze dan van het ene moment op het andere in een andere sfeer, een andere opvoeding, een ander gedrag? Zullen ze haar vertellen over het oude vrouwtje? Nee, daar ben ik zeker van.

'Hoe moet het met de kinderen?' Elke ouder die een scheiding overweegt, vraagt zich dat vroeg of laat af. Ook bij de vader die romantisch het huis uitgesneld is met een jonge blom, komt de vraag op zeker moment bovendrijven, maar zeker de moeder die alleen voor haar eigen geluk besloten heeft haar man het huis uit te zwiepen, breekt zich het hoofd over deze vraag. Ouders blijf je, gescheiden of niet, en de wet verwacht van je dat je samen tot goede en voor iedereen acceptabele afspraken kunt komen. Dat is een rare aanname: twee mensen die niet meer met elkaar in één huis kunnen leven, die elkaar het licht in de ogen niet meer gunnen, elkaar misschien zelfs wel bedrogen hebben of zijn gaan haten, moeten opeens in volmaakte harmonie tot mooie afspraken komen. Dat is amper te doen. Oud- minister Donner van Justitie steunde het voorstel van VVD'er Ruud Luchtenberg om scheidende ouders tot een ouderschapsplan te verplichten.[8] De Eerste Kamer stemde echter op 20 juni 2006 het idee voorlopig weg .[9] Er werd geoordeeld dat het wat merkwaardig is om harmonieus overleg af te dwingen tussen twee mensen die met elkaar in conflict zijn. En als elke ouder de ex binnen drie weken voor de rechter moet kunnen slepen bij een niet nagekomen afspraak, zoals in het ontwerp stond, zou dat vooral tot een zware overbelasting van de rechterlijke macht leiden.

Zelf bereid ik mij graag een beetje voor op wat mij te wachten staat in het leven, maar zakelijke informatie over echtscheiding en de rechten en plichten die daarmee verbonden zijn is moeilijk te vinden. Voorlichtingsboeken over echtscheiding voor het grote publiek zijn over het geheel genomen doorspekt van moralisme en idealisme en verwachten zonder uitzondering dat je probleemloos in staat zult blijken je eigen belangen te verwaarlozen. Het kenmerkende en haast onverdraaglijke van het leven na een scheiding is dat jouw eigen belangen en die van je kinderen opeens dramatisch uiteenlopen. Jij wilt je ex misschien het liefst nooit meer zien, jij gunt hem of haar een enkeltje Australië en je zou de invloed op je kinderen het liefst tot een minimum willen beperken, maar je kinderen willen het heel anders. Niemand zo lief als de ouder die (gedeeltelijk) uit beeld verdwenen is, en een goede moeder heeft daar begrip voor. Kinderen zijn er meesters in om in hun geheugen precies de herinneringen levend te houden die ze het best uitkomen. Mijmerend kijken ze terug op een genoeglijk gezinsleven dat jou in het geheel niet bekend voorkomt, en hoewel mijn ex aan het eind van ons huwelijk de hele dag liep te schelden op iedereen die hem voor de voeten liep, herinnerden zij zich direct na zijn vertrek toch opeens vooral een heel leuke papa. En die herinnering dien je ze als moeder te gunnen, al is het tandenknarsend. Moederlijke nobelheid is echter maar moeilijk op te brengen als je oudste zoon het leven vóór de scheiding opeens nuchter samenvat voor zijn op enig moment

---

[8] Zie kader achter in dit hoofdstuk.

[9] Daarna, op 29 juni 2006, viel het kabinet. Het valt te verwachten dat het plan na de verkiezingen (22 november 2006) weer op de agenda zal komen.

wat verdrietige broertje: 'Ach Flip, óf hij las de krant, óf hij was boos.' Veel te enthousiast geef je je zoon een geamuseerde grijns: zo was het maar net, jochie! Want elk bewijs van kinderverdriet na de scheiding komt je slecht uit, het voedt je schuldgevoel.

Kinderen wrijven je je scheiding niet alleen in als er een ouder grotendeels uit beeld verdwijnt. Ook bij het precies verdeelde co-ouderschap treedt de geschiedvervalsing in werking. Het is bijna verbijsterend om te merken wat mijn stiefkinderen wel en niet onthouden hebben uit hun vorige leven. Het bestaan lijkt een aaneenschakeling te zijn geweest van een gezinsleven vol goedgemutste figuren, leuke uitstapjes, vakanties, gezellige familiebezoeken en lekker eten; al het andere is ertussenuit gezeefd. En dringen zich toch nog negatieve herinneringen op, dan gieten ze er gewoon een leuk sausje overheen. Het is alsof alle kinderen in het stiefgezin het jou en je nieuwe man voortdurend willen inwrijven: we hádden een leuk leven! En jullie moeten maar zorgen dat het wéér zo leuk wordt! En jij voorop. Een moederbestaan, en dus ook een stiefmoederbestaan, draait tenslotte om het geluk van de kinderen en daar gaan ze dan ook geheel van uit. Want nimmer zul je je laten leiden door zelfzuchtigheid of jaloezie, immer zullen de afwijkende belangen van kinderen voorop staan en alle boeken, tijdschriften en televisieprogramma's die zich met het onderwerp bezighouden vertellen je wat je te doen staat: vergeet jezelf.

Om al voor mijn echtscheiding te achterhalen in hoeverre ik daartoe juridisch verplicht was, zocht ik het bij de studieboeken voor rechtenstudenten. Ik schafte een boek over echtscheidingsrecht aan en werd wijs. Ik haalde er niet alleen heel praktisch een voorbeeldconvenant uit, maar zocht ook op wat mij na de scheiding te wachten stond. Als ik koos voor het co-ouderschap, werd mij al snel duidelijk, zou dat vooral inhouden dat ik geen afspraken hoefde vast te leggen over de omgang. Co-ouders, was namelijk de vrolijke veronderstelling in 1997, komen er zelf wel uit. Mijn ex verwachtte ongetwijfeld dat ik pogingen zou ondernemen om mij het ouderlijk gezag toe te eigenen, omdat de verantwoordelijkheden ook tijdens ons huwelijk volledig op mij neerkwamen, maar ik wist dat ik daarop geen schijn van kans maakte dus ik vertelde hem slechts glimlachend dat ik liever voor het co-ouderschap koos. Hij reageerde opgelucht, en in ons convenant werd slechts opgenomen dat wij de omgang zelf zouden regelen. Dat gaf mij alle vrijheid om in afwezigheid van advocaten te bedenken hoe ik het wilde hebben, en Willem had zich er maar bij neer te leggen: hij had zijn juridische poot om op te staan vrijwillig afgestaan. Dat de kinderen hun vader moesten blijven zien, stond voor mij buiten kijf, maar ik had grote moeite met het uit handen geven van de verantwoordelijkheid aan een man die consequent traphekjes vergat, aanstekers en sigaretten liet slingeren en zich het lekkerst voelde in een huis dat nog het meest weg had van een plakkerige vuilnisbelt. Maar daar merkte niemand wat van: wij gingen op grond van ons keurig convenant de boeken in als harmonieus en verstandig ouderpaar, en niemand vernam ooit nog wat van de worsteling die eruit voortvloeide. Ik koos namelijk voor een ongeëvenaard stompzinnig plan en nodigde Willem uit om elk weekend te komen logeren. Dat zou zo'n mooie geleidelijke overgang voor de kinderen opleveren, had ik bedacht (en het ontsloeg mij voorlopig nog even van de verplichting om ze aan hem mee te geven). Ik geloof niet dat ik een andere man ken die op zo'n krankzinnig plan zou ingaan, maar Willem vond het wel wat. Niet alleen zat ik daardoor vervolgens negen maanden lang elk weekend met een zappende en krantlezende ex op de bank; de kinderen moesten ook elke zondag afscheid nemen van hun vader terwijl ze aldoor weer hun ouders samen zagen en in totaal onbegrip leefden. Pas toen Willem een nieuwe liefde vond, stopten de logeerpartijen en hadden de kinderen het gevoel dat hun ouders echt gescheiden waren.

Net als wij gingen ook Hanna en Tom de boeken in als een uitermate harmonieus en verstandig ouderpaar, met hun modern en precies gelijk verdeelde co-ouderschap. In volmaakte harmonie tekenden ze het weinig realistische convenant, waar minister Donner trots op zou zijn geweest. Vanaf het moment dat een convenant is ondertekend, is nooit meer iemand geïnteresseerd in de vraag of partijen zich ook aan de gemaakte afspraken houden. Sinds 1 januari 1998 hebben beide ouders automatisch gezamenlijk gezag over de kinderen, tenzij je belangrijke redenen hebt om de rechter anders te doen beslissen. En met het gezamenlijk gezag worden ook eventuele problemen met het convenant gezamenlijk, en daar moet je vooral gezamenlijk maar uit zien te komen.

Toen ik de kinderen het nieuws vertelde dat Tom en Hanna gingen scheiden, bleek mijn Flip al op de hoogte en hij stelde me met een serieus gezichtje gerust: 'Ja, maar bij hen is het niet zo erg, hoor, want zij gaan steeds heen en weer.' Paf! Had ik het dus helemaal verkeerd gedaan? Mijn idee dat co-ouderschap alleen iets was voor onbeschaamd egoïstische ouders, dat je kinderen de rust van één hoofdadres moet geven, één belangrijk thuis, was fout geweest? Hoewel ik er niet zo veel aan had kunnen doen – ik had tenslotte echt mijn best gedaan om Willem ten minste in onze stad te houden – voelde het rot. Hoe had ik mijzelf wijs kunnen maken dat de aanwezigheid van hun vader er niet zo veel toe deed? Hoe had ik mij zo prettig relaxed kunnen voelen met een vader die nooit belde, bijna nooit meer kwam en amper iets van ze wist? Ik kon wel denken dat ze genoeg aan mij hadden in het leven, maar waar haalde ik die zelfgenoegzaamheid vandaan? Nou denk ik niet dat een kind van acht zich kan voorstellen hoe het is om voortdurend met een koffertje heen en weer te moeten, nou geloof ik niet dat een kind begrijpt hoe zwaar loyaliteitsconflicten kunnen zijn en hoe moeilijk het kan worden om in twee verschillende opvoedingsstijlen te moeten opgroeien, maar toch. Het leek mijn Flip een hele troost, dat co-ouderschap van Tom en Hanna. En op dat moment hadden we nog geen flauw idee van hoe dichtbij we het zouden gaan meemaken en kon ik nog niet vermoeden hoe graag ik er ook enige inspraak in gehad had.

Maar nu zitten we er met z'n achten middenin. En we hebben niet veel anders kunnen doen dan ons fronsend neerleggen bij de gemaakte afspraken: elke woensdagmiddag komen David en Max om 16.00 uur bij ons, en de ene week vertrekken ze op zaterdagochtend 10.00 uur, de andere week op zondagavond 18.00 uur. De afgesproken tijden brengen met zich mee dat de woensdag(speel)middag voor alle zes de kinderen onderbroken wordt, dat we zaterdag vroeg op moeten staan, ook als er niet gesport hoeft te worden, en dat we op zondag amper ergens heen kunnen omdat we al zo vroeg weer thuis moeten zijn. Een dagje strand eindigt steevast met stress in de file en kinderen van Tom die onafgebroken op het klokje van de auto kijken terwijl ze zich nerveus afvragen of we wel op tijd zullen zijn voor hun moeder.

De rare tijden zijn het resultaat van een exacte uurberekening, die uiteindelijk toch nog een klein stukje in het voordeel van Hanna is uitgevallen. Daarvoor ben ik hoogstpersoonlijk verantwoordelijk geweest, in een stadium waarin ik niet kon bevroeden dat ik er zelf de gevolgen van zou dragen. Aangezien Hanna meer ging werken dan voorheen, bleek geen van beide ouders meer in staat om de jongens op woensdagmiddag al om 12.00 uur van school te halen. Daarom stelde Tom voor om ze tot 16.00 uur naar de naschoolse opvang te doen, waar hij ze dan zou ophalen. Dat zou echter een hoop geld kosten, terwijl de vader van Hanna meer dan bereid was om ze die uren in haar huis op te vangen. Ik bleek destijds in staat Tom ervan te overtuigen dat een liefhebbende opa veel beter was dan dure opvang en zo berokkende ik hem onbedoeld veel toekomstige schade, op een moment dat niemand zag aankomen hoe slecht de sfeer tussen Tom en Hanna zou worden.

Mijn oude vriendschap met Hanna werkt, nu ik met Tom samenleef, zeer in mijn nadeel. Hanna wil na een tijdje toch liever een regeling waarbij de kinderen steeds een hele week bij elke ouder zijn. Ik steun haar daarin, gewoon omdat het mij ook prettiger voor alle betrokkenen lijkt, maar Tom wil er om allerlei redenen nog niet aan. En steeds als ik het er met hem over heb, verdenkt hij mij ervan dat ik iets bij Hanna wil goedmaken. Na een offensief van kaartjes, brieven en mails van mijn kant heb ik die hoop echter allang opgegeven. Maar ik ken haar wel als de moeder van haar kinderen; ik heb haar zes jaar lang in die rol meegemaakt, en met verhalen over slecht moederschap of onverantwoordelijkheid van haar kant hoeft Tom bij mij dan ook niet aan te komen. Wisselingen van hele weken lijken mij rustiger en prettiger dan de rare regeling die er nu is, en het is alleen maar toevallig dat Hanna het kennelijk net zo voelt. Voor Tom voelt het echter alsof ik haar kant kies, en dat gevoel bevalt hem niks. Begin je enthousiast aan een nieuwe liefdesrelatie met een man die op afstand een voor jou volkomen vreemde (h)ex met kinderen heeft zitten, dan gaat het beeld van een naar mens dat de kinderen met haar zure jaloezie verpest er met groot gemak in. Op een bekende stiefmoedersite[10] is 'biomam' steevast een akelig wijf dat geen ander levensdoel heeft dan de arme schat van een vader dwars te zitten in het leven. Ben je zes jaar lang toch enigszins bevriend geweest met biomam, dan ga je wat minder eenvoudig mee in het eenzijdig negatieve beeld. Daarbij ben ik ook nog altijd aanhanger van het bijna vooroorlogse idee dat niets de moederband overtreft, én koester ik heimelijk de gedachte dat zes kinderen in mijn huis wel erg veel zijn, en zo hebben we veel ruzie.

Aangezien ik niet zonder meer de kant van mijn geliefde kies als het om zijn kinderen gaat, gunt hij mij ook niet al te veel inspraak. Maar die hele omgangsregeling van hem raakt wel heel direct mijn eigen leven en dat van mijn kinderen, en hoe meer ik erover nadenk, hoe bozer ik erover word dat ik niets in te brengen heb. De voortdurende wisselingen in sfeer en gezinssamenstelling betreffen tenslotte niet alleen de drie nieuwe heren in ons leven. Elke week is er een invasie van jongens en veel spullen en tassen op zolder en verandert alles. Mijn kinderen moeten welwillend een stap achteruit doen waar het om de aandacht van Tom gaat, ze moeten de zolder opeens weer delen met twee extra jongens en samen doen met hun spullen, hun moeder, hun zussen, hun hond, hun huis en hun spelcomputer. Twee stiefbroers die aan alle kanten in het midden van de belangstelling staan en overal overladen worden met liefde en medelijden omdat ze nog zo zielig zijn, souperen een groot deel van de beschikbare aandacht op. Ze hebben inmiddels samen een eigen kamer op zolder, maar bivakkeren voortdurend gezellig op die van mijn jongens, waardoor het daar

---

10 www.stiefmoeders.nl

tot ergernis van Flip de hele tijd volle bak is. Jongenslol is leuk, maar als je gewend bent samen te wonen met een kalme broer waar amper geluid uitkomt en er denderen steeds weer twee druktemakers naar binnen, dan is dat wel gezellig, maar ook druk.

En ook ik moet achteruit: ik moet de liefde van Tom delen zodra zijn jongens de voordeur binnenwandelen, en ik moet toezien hoe hij van minnaar verandert in vader, ik moet bakken aandacht inleveren en word tegelijkertijd geacht een liefdevolle en uiterst geduldige stiefmoeder te zijn terwijl ik eigenlijk niet weet hoe dat moet en waarom. Ik ben best van goede wil, maar ik voel helemaal niets moederlijks voor deze twee heus aardige jongens; waarom zou ik? Hoe kunnen twee jongens die al jaren als vriendjes bij je over de vloer komen opeens als eigen kinderen gaan voelen? Overal kom ik verhalen tegen, in boeken, tijdschriften en op internet, over teleurgestelde stiefmoeders die veel te hoge verwachtingen van zichzelf hebben, over stiefmoeders die vanaf dag één hun uiterste best doen zich als een heuse moeder op te stellen en een echt gezin te creëren, terwijl ze van hun stiefkinderen amper liefde terugkrijgen. Ik trek er alleen een wenkbrauw bij op, want ik herken er niets in. Niet alleen voel ik geen moederliefde voor mijn stiefzoons; ik weet ook heel zeker dat ze die van mij niet verwachten of zouden willen. Ik ben gewoon de moeder van hun vriendjes, ze kennen me al jaren, en ik ben verliefd op hun vader geworden. Een moeder hebben ze al. Maar omdat ze nu eenmaal bij mij zijn ingetrokken, is het niet meer dan redelijk om mij ook wat meer inspraak in hun dagelijkse opvoeding te geven; dat snappen zij ook heus wel. Niet te veel, zeker niet in eerste instantie en op niet te veel terreinen: daar zijn we het samen zonder woorden roerend over eens. De grote vraagstukken van het leven zijn toch vooral voor de eigen ouders, vinden wij: ik heb het druk genoeg met mijn vier kinderen.

Die reageren allemaal verschillend op de almaar wisselende situatie. Casper is degene die zich direct vol overgave en enthousiasme op zijn nieuwe bestaan heeft gestort: na jaren weer een heuse man in huis, dat is toch niet te versmaden, en de sportiviteit en de gespierdheid van Tom stemmen tot tevredenheid: dit is iemand met wie je je kunt vertonen. Hij neemt dan ook vanaf de eerste dag een bemiddelende rol op zich als zijn broertje iets te klagen heeft over een van de stiefbroers: 'Wat wil je nou, Flip? Dat ze weggaan? Het is óf Tom en de jongens, óf helemaal niemand, hoor.' Hij begroet David en Max dan ook altijd enthousiast.

Anouk lijkt er vooral erg tevreden over dat we weer een compleet gezin vormen, maar ze worstelt wel met de naamgeving. Want als ze 'Mama en

Tom' zegt, hoort iedereen direct dat hij haar vader niet is en ze wil toch maar het liefst een gewoon gezinnetje zijn. Korte tijd probeert ze het met de beide voornamen, maar dat voelt toch niet lekker. Vooral niet omdat ik me er grappend tegen verzet: 'Zeg! Er zijn maar vier wezens op de hele wereld die mij mama mogen noemen – dóé dat dan ook! Ik ben de oppas niet!' Ik wil mijn kinderen vooral duidelijk maken dat een stiefgezin niets is om je voor te schamen, en de suggestie van Anouk om Tom dan maar 'papa' te noemen, wijs ik dan ook lachend van de hand. 'Hoe wil je papa dan noemen?' 'Nou, gewoon,' grijnst ze, 'ex-papa!' De komst van de stiefbroers betekent voor Anouk wel een groot jongensblok in huis waar niet tegenop te boksen valt, en na de eerste maanden is het feestje er voor haar dan ook af. Steeds wanneer het jongensblok het haar in de beginperiode te moeilijk maakt, kan ze het niet laten om het haar stiefbroers nog maar eens in te wrijven: jullie wonen hier niet echt, dit huis is van ons, van onze moeder, jullie horen eigenlijk niet bij de familie. Keer op keer vangen we een bijna ontroostbare David op, die zo heel graag volwaardig deel uitmaakt van ons gezin, en keer op keer spring ik voor mijn dochter in de bres. Want ik begrijp haar zo goed.

Flip vindt al die wisselingen diep in zijn hart maar niets. Hij houdt van rust om zich heen, en de kalme harmonie die hij gewend is in de omgang met zijn grote broer is hem dierbaar. Dat die broer elke keer opeens heel stoer en rumoerig wordt zodra de stiefbroers binnenkomen, bevalt hem niks. En macho als hij zelf is, irriteert hem bovendien de belangrijke plek die de stiefvader in huis heeft.

Kleine Sophie ten slotte is wat afwachtend; dat is haar aard. Als Tom in ons leven komt is ze nog maar vijf jaar oud, en van het verschijnsel vader in huis kan ze zich amper wat herinneren: het leven draait voor haar om haar moeder. Hoeveel tranen van schuldgevoel heb ik de afgelopen jaren niet stiekem geplengd? Heb ik haar niet willens en wetens geboren laten worden in een slecht huwelijk en heb ik haar daardoor niet al bij voorbaat een leven met een vader ontnomen? Vurig hoop ik dat Tom en zij van elkaar gaan houden, en elke keer dat hij vraagt of ze met hem mee naar de bakker loopt, kijk ik met ogen vol tranen hoe ze druk kwebbelend en lachend naast hem loopt en zijn hand pakt.

En ik? Ik houd niet van onrust, ik houd er niet van om op te schuiven, terug te treden, in te binden en mij weg te cijferen. Ik houd van Tom en ik houd van mijn kinderen. En ik kan alleen maar hopen dat ik op een dag ook van zijn kinderen ga houden, op wat voor manier dan ook.

Zondagavond kwart over zes. Tom staat te koken en werkt aan een snelle schootmaaltijd voor op de bank: boerenkool met worst. Anouk komt opgewonden binnenrennen en drukt zonder te vragen of het mag de televisie aan: 'Top of the Pops is al begonnen!' Het geluid gaat hard, ik sta grijnzend op van mijn stoel bij de computer en neem plaats bij de televisie, terwijl ik geamuseerd naar de soepele dansbewegingen kijk die mijn dochter maakt. Stilzitten is niet haar sterkste kant. De eentonige dreunen van Eminem denderen door de kamer, maar er is niemand die er commentaar op heeft: zondagavond kent een vast programma en een vast ritueel. Breed lachend komen mijn andere kinderen al swingend de kamer in: Top of the Pops dreunt door het huis en het begint lekker te ruiken: het is dus bijna tijd voor Studio Sport[11]. David en Max komen er wat bedremmeld grijnzend achteraan: wat is hier aan de hand? Na eindeloos gezeur over en weer is het dan eindelijk zover: ze zijn hele weken bij ons en hele weken weer weg, en het is voor het eerst dat ze ons zondagavondritueel meemaken. Een ritueel dat normaal gesproken pas van start ging op het moment dat zij bij Hanna in de auto stapten. Alsof een gezinstherapeut het bedacht heeft, is er eerst popmuziek en kan iedereen die daar behoefte aan heeft zich uitleven, waarna de rust zal moeten neerdalen in ons gezelschap bij Studio Sport. Precies om vijf minuten voor zeven, terwijl Anouk nog uit haar dak staat te gaan bij de nummer-één-hit van die week, schept Tom de borden vol en kan iedereen een portie komen halen. Van het ene op het andere moment zijn stilte en aandacht vereist: geen woord van presentator Tom Egberts mag verloren aan, geen spelmoment mag worden gemist. Commentaar mag alleen als het vakkundig is en mag hooguit enkele woorden bevatten, maar op dode momenten is er volop gelegenheid om voetbalkennis te etaleren. Flip kent alle spelers van alle clubs in Europa zo ongeveer, of doet in elk geval knap alsof, en Tom, die nooit gevoetbald heeft, weet precies hoe het spel gespeeld dient te worden. Acht uur: het Journaal tussendoor. Als op bevel springt Casper direct op om zijn sprint naar de douche te trekken: in een kwartier tijd moet iedereen gedoucht hebben om vervolgens deel twee van het programma te mogen zien. David en Max slaan het wat onwennig gade, en ik realiseer me ineens hoe raar het was dat ze niet gewoon al onze rituelen kenden. Als ze niet met alles gewoon meedoen, kunnen ze er onmogelijk helemaal bij horen. 'Schiet op jullie! Onder de douche als je Ajax straks niet wilt missen!' jut ik ze op.

---

11 Tot augustus 2005 begon Studio Sport om 19.00 uur.

Ouderschapsplan

VVD'er Ruud Luchtenveld kwam met het plan om het echtscheidingsrecht in Nederland te herzien en de flitsscheiding af te schaffen. Daarvoor in de plaats moest er een
administratieve mogelijkheid om te scheiden komen, voor echtparen zonder kinderen. In het geval van aanwezigheid van kinderen ging het voorstel uit van gedeeld
ouderlijk gezag en ook een omgangsplicht voor beide ouders. Bij de scheiding zou
het verplicht worden een ouderschapsplan op te stellen, met nauwkeurig vastgelegde
afspraken. Zou één van beide ouders zich vervolgens niet aan die afspraken houden,
dan zou er de mogelijkheid zijn om een brief te schrijven en binnen drie weken voor
de rechter te verschijnen, zonder advocaten. De Tweede Kamer nam het voorstel in
het voorjaar van 2006 aan, maar op 20 juni werd het in de Eerste Kamer wegens (nog)
te veel praktische haken en ogen weggestemd. Negen dagen later, op 29 juni 2006,
viel het kabinet. Voorlopig zijn de plannen dus even afgeblazen, maar het idee van het
ouderschapsplan is nog niet van tafel en kan na de verkiezingen in november 2006
zomaar weer terug op de agenda komen.

Op www.conflictbemiddeling.nl is al enige tijd een model van een 'ouderplan' te
vinden.

Wat moet je vastleggen in een ouderschapsplan:

1. Van elk dagdeel in de week (ochtend/middag/avond/nacht) waar de kinderen
   zullen zijn.
2. Van elke vakantie en feestdag in het jaar waar de kinderen zullen verblijven.
   Hieronder vallen ook dagen als Sinterklaas, moederdag, verjaardagen van
   andere kinderen, familieleden enzovoort.
3. Wie er beslist over de huisregels en wat met of zonder overleg zal gaan. Hier
   gaat het om kwesties als de kapper, aanschaf kleding, lichamelijke verzorging
   (wel of geen piercings of tatoeages en dergelijke).
4. Wie er gaat over de school: schoolkeuze, huiswerkcontrole en ouderavond.
5. Wie er beslist over de sportkeuze, wie de zaken met betrekking tot sporten
   regelt en wie de benodigdheden hiervoor aanschaft.
6. Wie verantwoordelijk is voor / beslist over de medische zorg, opgesplitst naar
   bijzondere en belangrijke besluiten, kleine besluiten en toediening van medicij-
   nen.
7. Wie er gaat over de muziekleskeuze, de begeleiding erbij en de aanschaf van
   benodigdheden ervoor.
8. Wie beslist over deelname aan kampen, toernooien, enzovoort en de mogelijkheid dat het kind met anderen dan de eigen ouders op vakantie gaat.

Bij elk onderwerp moet worden aangegeven wie beslist: ouder A, ouder B, het kind,
of Anders. Mogelijke inspraak van een stiefouder is dus eventueel te vatten onder de
categorie Anders, waar bijvoorbeeld ook oppassers of opa's en oma's in passen. Eveneens moet duidelijk worden gemaakt of de beslissingen in overleg gaan of niet en bij
het overleg kan merkwaardig genoeg nog gekozen worden voor 'vooraf' of 'achteraf'.

8

IDEALEN EN ILLUSIES

Een kenmerk van het romantische stiefgezin is dat de leden
hoge verwachtingen hebben van elkaar en het gezin, die zelden
uitkomen. Teleurstelling is hier dan ook een van de oorzaken
die kunnen leiden tot een nieuwe scheiding.

Uit: recensie van het boek *Stiefouders en Stiefkinderen. De Valkuilen en Oplossingen.* James Bray &
John Kelly, De Boekerij 1999. Recensie geschreven door Dani van Scheltinga,
op www.ouders.nl.

'Ik heb eens nagedacht,' zegt Tom peinzend nadat hij op de vensterbank
naast mijn stoel heeft plaatsgenomen. Ik zit geconcentreerd te werken en
kijk een beetje verstoord en tegelijkertijd verbaasd naar hem op. 'Opeens
vroeg ik me af,' gaat hij verder, 'hoe het toch komt dat ik zo'n draaikont
ben en dat ik het zo moeilijk vind om belangrijke beslissingen te nemen.'
Vissig staar ik hem aan: waar heeft de man het over? Wil hij een andere
baan? Verhuizen? Iets veranderen aan de omgangsregeling met zijn kinderen? 'Waar gaat dit over, Tom?' vraag ik nu nieuwsgierig maar ook wat
ongeduldig. 'Een baby,' antwoordt hij tot mijn stomme verbazing. 'Ik heb
nagedacht en ik wil dit toch wel met je aangaan, een baby. Ik wil graag een
baby met je.' Mijn hart klopt nu opeens heftig, en zwijgend kijk ik hem
aan: meent hij dit?
We zijn nu meer dan twee jaar samen, en ik ben ongeveer een half jaar
geleden opgehouden erover te praten. Het begon allemaal toen Rob, een
bevriende dierenarts, grappend vroeg of wij samen geen behoefte hadden
aan een 'liefdesbaby'. Op mijn zakelijke antwoord dat Tom gesteriliseerd
was, reageerde hij luchtig met: 'Nou én? In zijn ballen zit prima bruik-
baar zaad, hoor; je tapt gewoon even wat af en brengt het in bij jezelf!'
Een grapje, maar het liet me niet los. Een gesteriliseerde man voelde als
volkomen onbruikbaar bij de productie van baby's, maar hoe het met die
onbruikbaarheid precies zat, wist ik eigenlijk amper. Ik had er nooit bij
stilgestaan dat zich tijdens het vrijen zó veel levende zaadjes zó dicht bij

mijn eitjes bevonden, en dwars tegen alle afkeer in die ik de afgelopen jaren jegens baby's had gevoeld, keerde plotseling het Grote Verlangen terug. Een baby van ons samen, een kind met de man van mijn leven, wij samen in een nieuw mensje; wat zou dat ontzettend mooi en kloppend zijn. Een roodharig meisje met de bruine ogen van Tom, klein van stuk, een driftkikkertje met humor. Tom liefdevol aan mijn zijde tijdens de zwangerschap en zelfs de bevalling, mij overladend met zorgzaamheid en belangstelling en zes kinderen in blijde afwachting van gezamenlijke gezinsuitbreiding. Maar Tom wilde er niets van weten; onder geen voorwaarde. Trauma's had hij van zijn eigen baby's, die hem geteisterd hadden met huilbabygekrijs, voedselallergieën en slapeloze nachten. Hij verlangde in het geheel niet naar een dikke, humeurige vrouw met maagzuurproblemen en huilbuien, hij hunkerde allerminst naar een hoopje poepende en spugende ellende, hij popelde niet om de auto bij elk bezoekje weer vol te stouwen met buggy's, bedjes en stoeltjes en zat al helemaal niet te wachten op een maandenlange periode zonder seks of romantiek. Om nog maar niet te spreken van de in zijn ogen enorme kans op een mongooltje op onze leeftijd. En net nu ik de mijmeringen over de baby heb laten varen, komt hij met zijn onverwachte mededeling.

'Hoe kom je hier nou opeens bij?' vraag ik verbijsterd terwijl in mijn achterhoofd hippe babykleertjes, eerste lachjes en lieflijk klokkende geluidjes in de nacht opspelen. Nou gewoon, hij heeft erover nagedacht, en hij wil het toch heel graag, met mij samen. Nog maar even voorbijgaand aan de praktische kwestie van de hersteloperatie die in zijn geval nodig zal zijn en de kans van slagen daarvan, kies ik er nu voor om flink twijfel te zaaien: 'Weet je wel wat een chagrijnige huilebalk ik ben als ik zwanger ben?' 'Gaan we die ene van ons niet enorm voortrekken, en is dat wel eerlijk tegenover de anderen?' 'Realiseer je je wel dat we dan nooit meer een kinderloos en romantisch weekend hebben?' Ik overlaad mijn geliefde met bezwaren, maar hij wuift ze allemaal glimlachend weg: hij is zeker van zijn zaak. De volgende avond zitten we in het dichtstbijzijnde restaurant in het dorp en drinken we foute wijn in een foute ambiance terwijl we elkaar diep in de ogen kijken in de opwinding van een nieuwe fase. 'Wil je een kind van me?' vraagt Tom plechtig en met een lach in zijn ogen. 'Ja, heel graag,' antwoord ik opeens zonder aarzelen, en ik krijg een warm gevoel.

De moeder die na een wat minder huwelijk en een periode van scheiding en eenzaamheid de grote liefde vindt, bekruipt vroeg of laat het gevoel dat haar kinderen van hem hadden moeten zijn. Dat het dan heel andere kinderen geweest zouden zijn, dat je met je grote liefde dan de moeizame tijd van zwangerschappen, baby's en peuters had moeten overleven, dat je elkaar dan in een heel andere periode van je leven zou hebben liefgehad, dringt niet altijd direct tot je door. Samen met deze nieuwe liefde had je willen voortleven in kinderen. Hoeveel kinderen je nieuwe partner en jij ook hebben: er zit niets gezamenlijks tussen. Dat is niet alleen jammer omdat je je gezamenlijke genen in een nieuw mensje had willen stoppen, maar je had ook zo graag op z'n minst één kind in huis willen hebben waar niemand anders iets over te zeggen heeft en waar geen omgangsregeling voor nodig is.

Ben je jong en zit je nog in de kleine kinderen, dan is het vrij eenvoudig om alsnog voor een liefdesbaby te kiezen, maar de meeste stiefgezinnen ontstaan als de eigen kinderen de kleutertijd allang ontgroeid zijn[12], als er weer tijd en ruimte is voor een carrière en als je opgelucht kunt ademhalen omdat de kinderen steeds zelfredzamer aan het worden zijn. Je primaire taak zit er bijna op en het leven vol fruithapjes, middagslaapjes, rugzakjes met afsluitbare bekers, verkleedfeesten op school, eerste schoolkampen met heimwee, zwemlessen, overblijfkosten, plakjes worst bij de slager en steeds grotere fietsen behoort al bijna tot een ver en roerig verleden.

Als Tom zijn entree in ons gezin maakt, is Sophie nog maar vijf en dus heel klein, maar Anouk is als oudste al twaalf en voor mijn gevoel 'bijna groot'. Ik mag uitslapen, ik hoef niemands billen meer af te vegen, ik kan het hele stel vroeg naar bed sturen als ik een goede film wil zien en ik kan dertig keer per dag 'Ruim je kamer nou eens op!' roepen zonder zelf wat aan die troep te doen. Ik kan elke oppas inhuren die ik kan krijgen als ik romantisch uit eten wil, maar ik kan ze in een restaurant ook nog een goedkoop kindermenu laten voorzetten. Al vanaf hun geboorte heb ik reikhalzend naar hun grootheid uitgekeken: aan mij was al dat babygedoe niet besteed, mijn tijd kwam pas als ik leuke gesprekken met mijn kinderen kon voeren, als ik kon achterhalen wat zich in hun geesten afspeelde, als ik ze de wereld kon laten zien. Toen ik Flip op een ochtend naar de peuterspeelzaal bracht en met Sophie op mijn schoot zat te vertellen dat ze de volgende dag één jaar zou worden, barstten de aanwezige moeders voltallig uit in weemoedigheid: 'Oh! Wat een leuke leeftijd!' Mijn verzuchting 'Ik wou dat ik mijn ogen dicht kon doen en dat ze twee werd!' stuitte op groot verzet. Hoe kon ik dát nou zeggen? Dan sloeg ik de eerste woordjes en de eerste stapjes over! Tja, dat was nou precies wat ik in gedachten had.

12 40% van de kinderen die na een scheiding bij één ouder of bij co-ouders blijven wonen (en dus niet in een tehuis of pleeggezin) krijgt ook weer een stiefouder. Dit gebeurt gemiddeld 4.5 jaar na de scheiding en ze zijn dan gemiddeld 13 jaar oud. Uit: *Samenleven. Nieuwe feiten over relaties en gezinnen*, 2001, J.Garssen et al. (red.). Hoofdstuk 9, Arie de Graaf: Hoe kinderen het gezin ervaren.

De arme Sophie was nummer vier, en ik kende het nou wel. De vertederde verbazing over de eerste woordjes was bij mij inmiddels vervangen door herinneringen aan een fase waarin je almaar niet begrijpt wat je kind in zijn ongeduld bedoelt, en de eerste stapjes associeerde ik toch vooral met vele valpartijen, tanden door heftig bloedende lippen en worstelende peuters die zich opeens uit alle macht verzetten tegen een comfortabel zit-plaatsje in de buggy. Vol bewondering was ik voor moeders die geduldig een half uur uittrokken om wandelend en zonder hulpmiddelen met hun peutertje naar de bakker op vierhonderd meter afstand te sjokken. Mijn kinderen kregen hoogst zelden de gelegenheid om de benen buitenshuis te strekken, omdat ik me er eenvoudigweg de tijd niet voor gunde. Na goede bedoelingen en pakweg twintig meter pakte ik het heftig protesterende en spartelende kind steevast onder de arm en legde ik de rest van de afstand in gestrekte pas af. Nog vaker rende ik heen en weer tijdens een mid-dagslaapje of regelde ik de boodschappen pijlsnel tussen werk en ophalen van de kinderen door. Alles wat wees op vooruitgang in hun ontwikkeling prees ik uitbundig, terwijl mijn moeder elke progressie vol spijt en wee-moed zag naderen. De dag waarop ik niet wist waar mijn zoons uithingen en ik me daar geen zorgen over hoefde te maken, was een feestdag; de dag waarop mijn dochter vroeg of ik iets wilde drinken toen ik me niet lekker voelde, vormde al bijna de kroon op mijn werk. Weldra zouden het echte mensen zijn. In mijn heftige nieuwsgierigheid naar hoe mijn nakomelin-gen zich zouden ontwikkelen, vergat ik aldoor naast me te kijken en keek ik consequent vooruit. Dat was dom. Ik had meer moeten genieten van het moment, weet ik, nu we een huis vol pubers hebben.

Tom geeft me een tweede kans. Een baby van ons samen zal ons de gele-genheid geven om goed te kijken en te genieten. We weten nu hoe elke fase in de aanloop naar de puberteit eruitziet en we hoeven niet meer zo snel vooruit. Een baby van ons samen, waar we alle tijd voor nemen, moet prachtig zijn. Het is bovendien net alsof ik in één klap tien jaar jonger ben: niet langer een al wat uitgezakte moeder op leeftijd, maar wederom een opbollende moeder in wording. Ik ben nog helemaal niet begonnen aan de aftakeling; weldra zal er nieuw leven in mij groeien, zal ik weer bij de jonge vrouwen horen en kan ik meepraten over de nieuwste babyjogger en Pampers nieuwste stijl. Ik moet goed voor mijzelf gaan zorgen, verstandig eten, bewegen. Heerlijk dik mag ik weer worden, zonder gewetenswroe-ging of de angst dat het er nooit meer af gaat, en eindeloos mag ik weer op zoek naar de leukste babyspulletjes voor het nieuwe kamertje.

Als ik het Ellen vertel, reageert ze zó enthousiast dat het me achterdochtig maakt. 'Oohh! Jezus, wat léúk!!!' Altijd mooi als je plannen bejubeld worden, maar was ze dan eigenlijk niet een beetje jaloers op mijn al grote kinderen die zich zo goed zonder al te veel aandacht door het leven sloegen? Beklaagde zij zich juist niet over al dat gedoe van die kleintjes van haar? Caroline reageert een stuk terughoudender: ze wil me mijn blije boodschap niet ontnemen, maar ziet tegelijkertijd heel duidelijk de teleurstelling in het verschiet: weet ik wel zeker dat ik dit wil? Ze snapt wel dat ik het een romantisch idee vind, maar dat romantische idee woont straks wel weer compleet met vieze was en lawaai minstens achttien jaar in ons huis. 'Realiseer je je wel hoe weinig romantisch een krijsende baby met darmkrampen is? Dringt het wel tot je door hoe lang het zal duren voordat je weer een beetje vrijheid hebt? Denk eens aan jullie vliegreisjes samen, aan jullie weekendjes aan zee, aan jullie avondjes uit,' zegt ze wat aarzelend maar tegelijkertijd streng. 'Ja, maar Caroline,' zeg ik bijna smekend, 'het klópt zo ontzettend niet dat ik geen baby heb van de man waar ik zo vreselijk veel van houd.' Tja, dat begrijpt ze wel. En ach ja, die vrijheidsbeperking is ook maar tijdelijk tenslotte, concludeert ze welwillend, en we hebben nu geld genoeg voor een oppas tenslotte.

Aan mijn moeder deel ik slechts mee dat we erover dénken om misschien toch nog eens aan een baby te beginnen, en zij schiet geheel naar verwachting direct in een euforie die me bijna steekt. Zou juist zij zich geen zorgen moeten maken over mijn welzijn? Weet juist zij niet als geen ander hoe gesloopt ik was door mijn ongedurige baby's, hoe afgrijselijk ik een bevalling vond, hoe moeilijk ik het vond om overeind te blijven met al die slapeloze nachten? Maar kennelijk wil zij het ook allemaal nog één keer meemaken, en ik kan het haar moeilijk kwalijk nemen. Nu eens een baby zonder financiële zorgen op de achtergrond, zonder aldoor weer die sluimerende huwelijkscrisis dit keer, met een verantwoordelijke en liefdevolle man om mij heen, die bovendien het vaderschap als geen ander beoefent. Het lijkt haar een feest. Het zou de 'nog één keer goed'-baby moeten zijn, niet verwekt in een zoektocht naar geluk, maar als uitdrukking van het geluk.

Een kind van Tom en mij zou een wandelende bevestiging van onze liefde zijn, en in die zin een steeds onmisbaarder lijkende factor in ons streven naar de volmaaktheid. Want wie na een eerste huwelijk en de ellende van een scheiding een tweede relatie en zelfs formele verbintenis aandurft, gaat zonder uitzondering van het volstrekt irreële idee uit dat het nu vast goed zal gaan. Tegelijkertijd loert in het hoopvol optimisme nu juist het grote gevaar. Alles moet goed zijn, en elk smetje lijkt de eerste stap op weg naar de mislukking. Bij elk onvertogen woord schieten de tranen je in de keel, bij elke ruzie vraagt je geliefde of je hem kwijt wilt, elke geïrriteerde uitval bewijst dat het 'wel weer niks' zal worden en elke keer 'geen zin' in seks brengt de romantiek op de rand van de afgrond. En alsof dat allemaal al niet ingewikkeld genoeg is, dartelen er ook nog een stel kinderen om je heen die het allemaal wel leuk en aardig vinden, die liefde van jullie, maar die toch vooral van mening zijn dat het bestaan nog altijd om hen draait. En wel onmiddellijk.

Dat is ons direct duidelijk geworden tijdens onze eerste gezamenlijke vakantie in Frankrijk: in de late ochtend bedrijven we die zomer de liefde tussen het blauwe bloemetjesbehang van onze Bretonse slaapkamer, als er een dwingende klop op de deur klinkt. De hartstocht loopt net op dat moment hoog op, een hoogtepunt is nabij en we willen nu even geen kind – éven niet. Misschien denkt de klopper dat we nog slapen en gaat hij, of zij, wel weg. Of misschien wacht hij gewoon nog even. Maar dat doet hij niet. Voor we er erg in hebben, staat Max van negen aan het voeteneind van ons bed met een pot jam in zijn handen, zich van geen kwaad bewust. Tom neemt niet eens een andere pose aan en gebaart alleen maar ongeduldig naar zijn zoon: 'Weg!' Max is echter van het onverstoorbare soort en hij blijft dan ook rustig staan. 'Weg, Max! Laat ons!' zegt Tom nu gebiedend. 'Ja maar,' doet zijn zoon klagend, 'we krijgen de jam niet open.' 'Straks!' briest Tom nu ongeduldig over zo veel ongenaakbaarheid. 'Nu wegwezen.' Met een schouderophalen vertrekt zijn jongste, en ik giechel gegeneerd: wat moet die jongen wel denken? Niet zo heel veel, blijkt die middag.

Als we later op de dag op het rotsenstrand vlak bij het gehuurde huis liggen, komen de vier jongens opgewonden aanrennen met een emmer: 'Hier! Moet je eens kijken!' We werpen welwillend een blik in de emmer en zien twee krabben op elkaar, die volgens de jongens met geen mogelijkheid van elkaar af te krijgen zijn. 'Wat zou je kunnen doen om neukende krabben los te maken?' vraagt David stoer. Tom haalt zijn schouders op en zijn ogen krijgen opeens een prachtige grijns, die ik alleen zie: 'Ik weet het niet, maar je zou het eens kunnen proberen door met een pot jam in je handen op de emmer te kloppen.' Terwijl David en Casper de wenkbrauwen fronsen en geërgerd weglopen over zo'n stom antwoord, zie ik op het gezicht van Max langzaam het inzicht doorbreken, als hij ongelovig grijnzend in de verte staart.

Dat twee mensen die in een nieuwe relatie samenkomen en hoopvol de toekomst tegemoetzien, ook instinctief de neiging gaan voelen om zich samen voort te planten, is weinig verbazingwekkend. Jonge, en vooral kinderloze stiefmoeders hebben er bovendien grote haast mee: ze krijgen ongevraagd kinderen van een vreemde mevrouw opgedrongen, en ik kan mij voorstellen dat je met behulp van een eigen nakomelingetje zo snel mogelijk zo veel mogelijk liefde en aandacht wilt vastleggen voor het eigen kamp. Geen tweede viool spelen als de stiefkinderen er zijn, maar 'de liefdesbaby' in handen hebben. Vader begrijpt wel dat hij weinig recht heeft om zijn jonge vrouw haar kinderwens te ontzeggen; tenslotte dringt hij haar ongevraagd kinderen van een ander op en hij voelt wel aan dat teksten als 'Ik heb al kinderen en ik heb het wel gezien' slechts op grote weerstand zullen stuiten. Het merendeel van de stiefmoeders die elkaar ontmoeten op de grootste site[13] voor deze doelgroep in Nederland heeft niet alleen stiefkinderen (vaak al op puberleeftijd) maar bovendien een kleintje van zichzelf.

Toen bij ons de eerste heftigheid van de romantiek wat begon weg te ebben en ik door Rob eenmaal op de mogelijkheid van een hersteloperatie was gewezen, werd het voor mij ook moeilijk het opborrelend verlangen naar een baby tegen te houden. Een protserig aangeklede baby op een terrasje in Andalusië glimlachte een snoezige babylach naar me, en van het ene op het andere moment besprong een heftige kinderwens mijn nietsvermoedend brein. Nog één keer… Van Tom! Opeens had ik het gevoel dat mijn man mij niet kende zolang hij niet wist hoe ik was als zwangere vrouw en als kersverse moeder. Wanneer had ik mij nu meer oervrouw gevoeld dan tijdens de marteling van een bevalling of de nachtvoedingen van mijn baby's? Ik werd bovendien razend nieuwsgierig naar Tom als man tijdens een zwangerschap. Plotseling herinnerde ik me Ellen weer, die na mijn vier zwangerschappen met een botte echtgenoot die mij gewetenloos het hele huis op torenhoge ladders in mijn eentje liet schilderen, achteloos vroeg: 'Zou je nu ook niet nog eens een baby willen van een man die kopjes thee voor je zet?' Destijds reageerde ik schaterend: nee zeg! Vier was écht genoeg! Tegen de tijd dat Anouk aan kinderen toe was, zou ik misschien nèt over mijn inmiddels gegroeide weerzin tegen baby's heen zijn! Maar nu had ik hem, die man die kopjes thee zou zetten. En was het eigenlijk niet erg saai om vier kinderen van dezelfde vader te hebben? Hoe zouden mijn genen uitpakken in combinatie met die van Tom?

---

13 www.stiefmoeders.nl

Zou het zaad nog vrij gestroomd hebben, dan zou ik hem vast in de val gelokt hebben, ondanks al mijn principiële bezwaren daartegen. Zonder zijn uitdrukkelijke instemming was er echter niets mogelijk, en Tom reageerde slechts afwijzend en kort: voor hem geen baby's meer. In mijn geval kon ik moeilijk dramatisch doen over een niet-vervulde kinderwens, dus legde ik me er zwijgend en zelfs vol berusting bij neer: geen kind. En net nu ik opgehouden ben om hunkerend naar kinderwagens te staren en zwangere vrouwen toch opeens weer prachtig te vinden, heeft hij zich bedacht.

Na de eerste euforie over Toms plotselinge wending, kost het me tot mijn irritatie steeds meer moeite om de praktische bezwaren weg te duwen en vraag ik me steeds kritischer af waarom ik eigenlijk nog een baby wil. Hoe vastberaden was ik tenslotte niet na de geboorte van Sophie? Terwijl zwangere vrouwen me ook na Flip nog altijd een beetje jaloers maakten, was dat gevoel na de vierde definitief verdwenen: nooit meer een bevalling, nooit meer dat zenuwslopende gekrijs in de nacht, nooit meer de wurgende vrijheidsbeperking van een baby. Waarom dan nu tóch? Wil ik mijn ouderdom uitstellen? Wil ik Hanna met haar rechtszaken een hak zetten in de wetenschap dat zij graag nog een derde kind van Tom had gewild? Wil ik gewoon ordinair 'scoren' en de wereld laten zien dat ik in plaats van zes kinderen ook best zeven kinderen aankan? En heel praktisch: zit ik niet veel te dicht bij de overgang? Ik ben weliswaar nog maar begin veertig, maar bij mijn moeder was het 'op' toen ze 43 was.
Twijfel en vertrouwen wisselen elkaar in rap tempo af, en het voelt bijna als een troost dat de hersteloperatie van Tom ook nog best kan mislukken of dat ik misschien wel niet eens meer vruchtbaar zal blijken. Zelfs als wij vastbesloten zijn, kan Moeder Natuur het hele plan nog afblazen. En waar komt die plotselinge omslag van Tom vandaan? Wil hij alleen mij maar een plezier doen? 'Ik hoef geen konijntje, Tom,' zeg ik op een avond serieus. 'Voor mij is de enige reden om een nieuwe baby te willen de sterke liefde die ik voor je voel en de behoefte om die tot uiting te brengen in een nieuw leven. Als jij niet hetzelfde voelt, hoeft het echt niet.'
Afgezien van alle twijfels over de gewenstheid van het nieuwe moederschap op zichzelf, ben ik ook onzeker over Tom en mij als ouders van een gezamenlijk kind. Zal juist bij dit kind niet veel te duidelijk zijn dat we allebei veel te dominant en te eigenwijs zijn om samen een kind te kunnen delen? Zal ik met mijn baby wel gewoon mijn eigen gang kunnen gaan zoals ik altijd gewend ben geweest? Vriendin Paula, die ik kende van zwangerschapsgym, gaf mij indertijd een gouden regel voor de omgang

met mijn baby's. Ze zei: 'Ik doe iets alleen als ik het echt wil, als ik voel dat ik het wil doen. Als mijn baby in bed ligt te krijsen en ik voel dat ik hem wil pakken, dan doe ik het, ook als hij er nog maar net in ligt. Maar als ik het gevoel heb dat ik hem nog even niet wil, omdat mijn hoofd nog niet naar een voeding staat of omdat ik nog even geen zin heb in een baby, of omdat ik met een ander kind bezig ben, dan doe ik het gewoon nog niet.' Iets vertelt mij dat een dergelijk principe er bij Tom niet in wil, en het gemak waarmee we de kinderen en beslissingen in ons grote stiefgezin opsplitsen naar bloedverwantschap zal zich bij dit nieuwe kind niet voordoen. Ik zal moeten accepteren dat de vader van mijn baby zich, in tegenstelling tot Willem destijds, overal mee gaat bemoeien en dat hij ervan overtuigd zal zijn dat hij op veel fronten de wijsheid in pacht heeft. Ruzies en meningsverschillen zullen vermoedelijk aan de orde van de dag zijn, denk ik blijmoedig.

Als ik zondagsmorgens na een vrijpartij nog eens ontspannen onder mijn dekbed wegkruip, realiseer ik me bovendien heel duidelijk dat deze rust spoedig verleden tijd zal zijn, en als de kinderen luid schaterend met hun lompe sportschoenen de trappen af denderen, dringt tot mij door dat ze opeens weer stil zullen moeten zijn voor de baby: 'Ssst, de baby slaapt!' Hoe vaak heb ik dat dwars tegen al mijn stoere voornemens in niet gezegd?

Als het plan al een paar weken door ons hoofd maalt, de slagingskansen van een hersteloperatie op internet uitgebreid zijn bestudeerd en de afspraak met de huisarts is gemaakt, zitten we op een avond samen in het bubbelbad. Kaarsen aan, wijntje erbij, bubbels op volle kracht. Een beetje dromerig staren we elkaar aan voordat ik het weer niet kan laten om De Baby ter sprake te brengen. Ik moet er aldoor over praten, want mijn hoofd en mijn hart begrijpen elkaar nog niet goed genoeg. Voortdurend ben ik op zoek naar bevestiging, naar geruststelling; steeds weer wil ik van Tom horen dat het een mooi idee is en dat hij zich ook echt verheugt op onze baby. Voor hem staat de beslissing gewoon vast, en hij wil het dan ook alleen nog maar hebben over de praktische kanten van het verhaal. Daarom breng ik de oppaskwestie nog maar eens ter sprake, een onderwerp waarvan inmiddels al gebleken is dat we het er niet over eens zijn, alsof ik op voorhand op zoek ben naar een meningsverschil. 'Ik vind,' begin ik, 'dat we de andere kinderen wel als oppas kunnen gebruiken, maar dat we ze daar dan wel voor moeten betalen.' 'Onzin!' reageert Tom toch nog onverwacht fel. 'De baby hoort straks bij dit gezin, en de andere gezinsleden zijn daar net zo goed verantwoordelijk voor!' Ik praat met een man die als enige zoon in een gezin van zeven kinderen voortdurend de zorg voor kleine zusjes op zich geladen kreeg. 'Nee,' zeg ik resoluut, 'wij moeten zo nodig op een belachelijke leeftijd nog een baby; daar kun je die pubers dan niet zomaar mee opzadelen.' Flauwekul, volgens Tom, en dat irriteert me opeens heftig. Zijn jongens hebben straks nog een half leven bij hun moeder, lekker zonder baby in huis, maar mijn kinderen zitten eeuwig met die kleine opgescheept. In mijn fantasie zie ik Tom en Anouk tegen elkaar krijsen in de keuken: Anouk helemaal opgetut om uit te gaan, maar Tom heeft bedacht dat hij mij mee uit eten wil nemen en dwingt haar thuis te blijven voor De Baby.

De sfeer tussen de bubbels wordt nu van het ene moment op het andere uitgesproken stekelig en ik word met de minuut dwarser. 'We kunnen nu wel denken dat het een schattig meisje met rode vlechtjes en sproeten wordt,' ga ik nu zuur over op een ander onderwerp, 'maar voor hetzelfde geld zegt straks iedereen: "Goh! Sprékend jouw zus Anja!"' Tom ergert zich nu zichtbaar dood aan me, maar doet geen moeite meer om tegen me in te gaan en zwijgt. Dat maakt me woedend. Hij begon opeens over die baby terwijl ik het hele idee al uit mijn hoofd gezet had, en nu laat hij me barsten! In een opwelling van drift en in de behoefte een reactie te forceren, snauw ik opeens: 'Ik wil het niet meer! Ik begin helemaal niet aan een baby met jou! Het wordt alleen maar gedoe, en je wilt er nu al niet eens normaal over praten; moet je zien hoe dat straks gaat! Aldoor ruzie over dat kind, aldoor ruzie omdat jij vindt dat ik het niet goed doe, aldoor gezeik omdat jij 's nachts niet op wilt staan en toch een spannend seksleven wilt met een geradbraakte vrouw! Ik doe het niet, Tom, ik zie ervan af.' Kalm slaat hij zijn ogen naar me op als hij rustig antwoordt: 'Oké, we doen het niet.'

Ik zwijg abrupt en kijk hem met grote ogen aan terwijl de tranen tevoorschijn springen. Hij had me ervan moeten overtuigen dat ik het helemaal fout zag, me moeten vertellen dat het de mooiste en de liefste baby van de wereld zou worden en dat we het met al onze ervaring en liefde uitstekend zouden redden samen, dat ik de beste moeder op aarde was en dat hij alle vertrouwen in mij en ons samen had. Maar het is net alsof hij heeft zitten wachten op een kans om het plan af te blazen en hij doet niets van dat al: onze baby sterft een extreem vroege dood. Ik stap bedroefd uit bad. Zwijgend ga ik in bed liggen, met mijn rug naar zijn kant.

Midden in de nacht word ik wakker, en ik voel me opmerkelijk rustig. Het gaat niet door. Tóch geen gekrijs in de ochtend, geen angst voor enge babykwaaltjes of de wiegendood, toch geen zorgen om een baby die niet wil drinken, toch niet aan handen en voeten gebonden. Toch geen dodelijke vermoeidheid, geen bevalling, geen hechtingen en naweeën. 'Een baby is de doodssteek voor de romantiek' – heb ik dat niet altijd gezegd? Ik heb de man van mijn leven gevonden en ik wilde per se dat hij een baby van mij wilde. En hij was uiteindelijk bereid, voor mij. Meer bewijs van zijn liefde heb ik toch niet nodig? Dat was vermoedelijk waar het mij eigenlijk aldoor om ging. Dat, en de domme wens om op de valreep nog even een stukje jeugd terug te halen voordat het verval definitief mijn lichaam zou gaan domineren. Ik draai me naar hem toe en druk een zoen op zijn slapende rug. Het is goed. Ook, of misschien juist, zonder baby.

Juridische Zaken: Erfenis

Erfenis

Volgens de wet erven echtgenoten van elkaar een kindsdeel, maar erven kinderen niet van hun stiefouder. Wil je dat dat toch gebeurt, dan moet je een testament opmaken.

Stel: het vliegtuig waar je met je partner in zit stort neer. Zowel jouw kinderen als die van hem erven dan zonder testament elk het bezit van de eigen ouder. Was je in gemeenschap van goederen getrouwd, dan krijgen jouw kinderen de ene helft en zijn kinderen de andere helft. Bij ongelijke aantallen kinderen kunnen de verschillende erfdelen dan heel ongelijk zijn. Wil je dat alle kinderen gelijkelijk bedeeld worden, dan moet je dat bij de notaris laten vastleggen.

Stel: je bent stiefmoeder en je man overlijdt. Zijn kinderen erven dan formeel hun kindsdeel, maar daarop kunnen ze nog geen aanspraak maken. Het vruchtgebruik van zijn bezittingen is namelijk voor jou. Om te voorkomen dat jij alles opmaakt of verkwanselt, kunnen je stiefkinderen beroep doen op hun **wilsrecht**. In dat geval krijgen zij de goederen of het geld waar zij recht op hebben formeel in eigendom, maar dat wil niet zeggen dat ze er al iets van zien: jij behoudt namelijk ook in dat geval het vruchtgebruik.

Maken de stiefkinderen niet direct bij het overlijden van hun vader gebruik van het wilsrecht, dan kunnen ze dit ook nog doen als jij doodgaat. Ze maken dan gebruik van hun tweede wilsrecht: in dat geval kunnen ze er ook voor kiezen om geen geldbedrag te ontvangen, maar om goederen uit de erfenis van hun vader op te eisen.

Het is mogelijk om in je testament af te wijken van de wilsrechten: je kunt bepalen dat de kinderen geen wilsrecht hebben (om te voorkomen dat de achtergebleven partner lastiggevallen wordt door de stiefkinderen), maar je kunt juist ook de wilsrechten voor de kinderen uitbreiden.

9

GEDOE OVER GELD

Men begrijpt dat hertrouwde gezinnen vaak vechtensmoe zijn
en verlangen naar onmiddellijke geborgenheid en veiligheid.
Opduikende spanningen kunnen als zeer bedreigend worden
ervaren voor de toekomstmogelijkheden van het nieuwe gezin.

Uit: *Hertrouwde Gezinnen met Adolescenten*, Magda Plomteux
(artikel zonder jaartal en nadere bron).

Zijn ze dat? Nieuwsgierig kijk ik uit het raam naar twee figuren die in
de verte komen aanfietsen. Dat zullen ze toch niet zijn? Het lijkt er toch
verrekte veel op: de ene jongen net iets voor de andere uit, de achter-
ste een beetje gebogen op de fiets met een trage, bijna schildpadachtige
manier van fietsen. Maar die kleuren! 'Moet je nou toch eens kijken,' zeg
ik geamuseerd tegen Tom, 'daar komen je zoons.' Tom kijkt blij op, altijd
verheugd als zijn jongens zich aandienen, en fronst dan heel kort de
wenkbrauwen. Ik heb het gezien. 'Die bloesjes, hè?!' lach ik. Op de fietsen zitten twee schreeuwerige overhemdjes met palmbomen en andere
tropische figuren. Als ze dichterbij komen, valt vooral de stijfheid van de
stof op: de korte, wijde mouwen staan ver van de witte jongensarmen af.
Het ene bloesje is fel turquoise, het andere mintgroen; ze doen me denken
aan de hawaïhemden uit de jaren zeventig, maar in dit geval geen sprake
van soepel vallende viscosestofjes en subtiele pastelkleurtjes. Deze knallen
erin.
Normaal gesproken kan ik er altijd nog wel een vriendelijk complimentje
uit persen als ze iets gescoord hebben wat ik niet mooi vind, maar ik kan
toch echt niet over mijn lippen krijgen dat ik dit leuke bloesjes vind. De
fietsers hebben inmiddels hun vervoermiddel in de garage gezet en de
keukendeur zwaait open: 'Hoi!' grijnzen twee gemoedelijke jongenshoofden boven twee afzichtelijke bloesjes. Ik kan onmogelijk doen alsof het
me niet opvalt dat ze wat nieuws aanhebben. Ik ben graag aardig op zo'n
moment van welkom en stel ze graag op hun gemak, maar ik kan niet

keihard liegen. 'Hoi!' roep ik, 'nieuwe bloesjes!!' Vragen lijkt me raar; er is tenslotte geen misverstand mogelijk. 'Ja!' straalt David, en Max staat er glunderend achter in zijn mintgroene exemplaar. 'Vrolijke kleuren!' lach ik. 'Waar hebben jullie die gevonden?' Het antwoord verklaart het verschil tussen de subtiele hawaïhemdjes van weleer en deze exemplaren: 'Op de markt!' 'Aha,' grijns ik. 'Ze kostten maar een tientje!' vertelt Max opgewekt en prijsbewust als altijd. 'Tja,' lach ik een beetje vals, 'dat verbaast me niks.' Kijk ze nou eens trots zijn; wat heeft Hanna bezield? Heeft ze ze schaterend hun eigen keuze laten maken, of heeft ze ze spotgoedkope rotdingen aangesmeerd uit zuinigheidsoverwegingen? 'Jullie vallen zo wel op in het verkeer,' doet Tom opeens vrolijk; hij lijkt wel opgelucht dat hij een positieve noot heeft weten te bedenken. Max grijnst, David lacht. Ze hebben het gevoel dat hun bloesjes in goede aarde zijn gevallen en voelen zich prachtig. Op naar de stiefbroers, die boven op zolder zitten. Hoewel de bloesjes absoluut niet in hun smaak zullen vallen (hoop ik, je weet het maar nooit), weet ik zeker dat ze dat niet zullen zeggen. Als iets mooi is, zeg je het, en anders houd je gewoon je mond.

Zodra ze achter de deur verdwenen zijn, kijk ik Tom verbijsterd aan: hoe kun je nou zulke dingen kopen? Die Hanna moet toch wel zien hoe vreselijk ze er in die bloesjes uitzien? Tom heeft zijn vrolijkheid met het vertrek van de jongens ineens laten vallen en doet nu wat kriegelig tegen mij: 'Laat ze toch. Ik ga echt niet over die dingen zeuren. Ik wil dat ze zich hier prettig voelen, en het is niet leuk om meteen commentaar te krijgen als je blij bent met je nieuwe kleren.' Mijn gezicht betrekt. Lekker makkelijk weer: hij laat mij de kastanjes uit het vuur halen, houdt zich er lekker buiten maar zou het allemaal vanzelfsprekend weer veel beter gedaan hebben dan ik. En ik heb het weer eens niet goed voor met zijn boys. 'Als je maar niet denkt dat ik ze meeneem naar het feest van Caroline in die dingen! Ik schaam me dood!' bits ik nu opeens geïrriteerd. Tom zegt niets en loopt naar de koelkast.

Het is een teer punt. Sinds de rechtbank Hanna anderhalf jaar na de scheiding heeft aangewezen als financieel verantwoordelijke ouder, gaat zij over de aankopen. De aanwezigheid van opa, die mede dankzij mij op woensdagmiddag in haar huis op de jongens past, heeft de doorslag gegeven: haar adres is het hoofdadres geworden. Voor een vader als Tom, die tijdens hun huwelijk gewend was om met de jongens kleren te kopen, die eigenlijk over iedere aanschaf besliste, is dat een zware dobber. Hij voelt zich ernstig buitenspel gezet en kan zijn woede daarover maar moeilijk bedwingen. Elke maand gaat er in afwachting van het hoger beroep een absurd bedrag aan kinderalimentatie de kant van Hanna op, en daarvan koopt ze dus schreeuwerige flutbloesjes op de markt terwijl ons natuurlijk ook haar nieuwe leren jasje is opgevallen.

Elke keer dat ik wat leuks koop voor mijn eigen kinderen, zie ik de afgunst op Toms gezicht. Hij wil ook de stad in met zijn kinderen, hij wil ook leuke dingen met ze uitzoeken, maar ik lig ervoor. In veel dingen ben ik uitermate soepel en ik vind vooral dat mijn geliefde zo veel mogelijk zijn gang moet kunnen gaan, maar in deze kwestie stel ik me op als een terriër. Ten eerste hebben ze de leuke dingen die we voor ze kopen steevast niet bij zich als ze onze kant weer op komen, en ten tweede heeft Hanna bij de rechtbank extra veel kinderalimentatie bedongen op grond van het feit dat de jongens in twee huizen een garderobe nodig hebben. Ze moet er in mijn ogen dus ook gewoon voor zorgen dat die er is, maar verder dan de aanschaf van extra veel onderbroeken en sokken voor in ons huis is ze nog niet gekomen. Het blijft een wekelijks heen en weer gesleep met tassen vol kleren, omdat het kennelijk voelt als geldverspilling om twee trainingspakken, twee voetbaloutfits en twee nieuwe spijkerbroeken tegelijk te kopen in een fase waarin de jongens keihard groeien. En zij is in deze fase nog degene die de keuzes maakt. We kunnen hooguit hopen dat de jongens vanzelf voldoende smaak ontwikkelen om te zorgen dat ze er leuk bij lopen, of beter gaan opletten wat in de mode is. Tot die tijd moeten we gewoon accepteren dat ze krijgen wat ze krijgen. Maar dat wil niet zeggen dat er niets tussen kan zitten wat onze toets der kritiek werkelijk niet kan doorstaan, en zulke dingen blijven dan wat mij betreft gewoon bij Hanna. Zoals deze bloesjes. Ik bedenk nog wel een vriendelijke manier om het mijn stiefzoons duidelijk te maken.

Bij de scheiding van Tom werden twee dingen in het convenant vastgelegd die de kinderen aangingen: ze zouden in tijd precies verdeeld worden tussen de ouders, en hetzelfde zou gebeuren met de kosten die buiten de dagelijkse verzorging vielen. Vriendelijk knikkend liet de advocaat ze het papier ondertekenen, niet gehinderd door enige kennis van praktische zaken. Allebei niet dom, verkeerden Tom en Hanna in de veronderstelling dat ze goede afspraken hadden gemaakt, zich nog niet bewust van de vele voetangels en klemmen waar ze over zouden gaan struikelen. De afspraak om de kosten te delen is een uitermate naïeve: want over welke kosten heb je het? Wat zijn 'de' kosten? Als de ene ouder vindt dat er kosten gemaakt moeten worden, is de ander het daar niet volautomatisch mee eens. Direct na de scheiding begon voor Hanna de grote uitverkoop: voortdurend ging ze de stad in voor de jongens, en van alles wat ze kocht mailde ze de rekening naar Tom: 50% graag. En als Tom zich hardop afvroeg waarom David en Max nu alwéér nieuwe spullen nodig hadden, mocht hij zich daar niet mee bemoeien, vond Hanna, want ze nam tegenwoordig haar eigen beslissingen. Die houding is net zo onredelijk als hij begrijpelijk is: elke gescheiden vrouw weet dat er naast alle ellende van de eenzaamheid, het gevoel van mislukking en het schuldgevoel tegenover de kinderen één ding is dat zoet smaakt: je neemt voortaan je eigen, desnoods stomme, beslissingen. En dat houdt ook in dat je niet bij elke aanschaf wilt overleggen met je ex.

Zelf herinner ik mij de euforie van de vrijheid nog levendig. Keihard moest ik werken om overeind te blijven, maar de uitputting gaf tegelijkertijd een goed gevoel. Avond aan avond, als de kinderen naar bed waren, pepte ik mijzelf op met rode wijntjes, toostjes met boursin en een prettig muziekje, om vervolgens tot diep in de nacht vele overuren boven bergen studententeksten te maken. Alles om het hoofd boven ons comfortabele water te kunnen houden, en het lukte. En na een paar jaar was ik zelfs in staat om een nieuwe start te maken en het verleden van mij af te schudden, in een ander huis buiten de stad. Betaalbaar geworden door een nogal plotselinge en fikse waardestijging van ons oude huis, maar ook door de hulp van mijn vriendin Caroline, die in haar leven op wrange wijze niet alleen overstelpt werd met verlies en verdriet, maar ook met erfenissen. Ze werd aandeelhouder in mijn huis door een deel van de koopsom te betalen; als ik het ooit weer zou verkopen zou ze hetzelfde deel van de opbrengst opstrijken. Dat was de deal en verder bemoeide ze zich nergens mee. Omdat ze in haar eigen villa maar zo'n kleine keuken had, zou mijn grote keuken met bijkeuken voor haar zijn, grapten we, maar op mijn voorstel dat ze dan ook met enige regelmaat zou verschijnen om hem te soppen ging ze helaas niet in. Ook Caroline was een gescheiden vrouw, en ook zij begreep hoe het zat: totale onafhankelijkheid is waar het voor de zichzelf respecterende vrouw om draait na een scheiding; schande spraken we dan ook van de inhalige types die hun exen partneralimentatie aftroggelden als ze het geld ook gewoon zelf konden verdienen. Een beetje vrouw redt zichzelf.

Maar wat gebeurt er met je zelfredzaamheid en je onafhankelijkheid als er een nieuwe liefde in je leven komt? Een serieuze man die zich serieus aan je wil binden? In mijn geval een man die vele jaren gewend is geweest te leven en te delen in volkomen gemeenschap van geld en goederen. Een man die zijn verantwoordelijkheden kent en neemt en precies weet

waar hij aan toe is. Na mijn Willem, die rekeningen pas betaalde als er
een deurwaarder op de stoep stond en die bankafschriften ongeopend in
een la flikkerde, was dat in eerste instantie een verademing. Tom had zijn
zaken op orde en stopte afschriften zelfs in een mapje.

Sinds ik vlak voor mijn echtscheiding met knikkende knieën besloten
had om niet langer om Willems bankafschriften heen te draaien maar er
toch eens eentje te openen, en moest constateren dat hij negenduizend
gulden[14] rood stond, kende ik een heftige afschuw van de bankenvelop-
pen van de ABN/AMRO. En aangezien ik bij de scheiding gedwongen werd
de bestaande hypotheek over te nemen en over te stappen naar die bank,
werd ik bang voor mijn eigen bankafschriften: ik bekeek ze nauwelijks.
De met vage groene vlekjes bespikkelde enveloppen verdwenen steevast
ongeopend onder een berg tijdschriften of raakten prettig verzeild tussen oude kranten. Maar Tom begreep niets van mijn in het zand gestoken
hoofd en viste die dingen overal voor me vandaan: 'Hier ligt weer een
afschrift van je!' Meedogenloos legde hij ze op tafel, waarna ik overging
op een nieuwe strategie: ik liet ze liggen tot ik een sterke dag had, een bui
waarin ik roodstand zou kunnen bolwerken. Zo'n bui kon weken op zich
laten wachten, maar op een dag kwam hij. Manhaftig zette ik mij op zo'n
dag aan de stapel ongeopende rekeningen en afschriften, klaar voor een
roodstand van duizenden euro's. Meestal viel het enorm mee en haalde
ik opgelucht adem, maar de angst voor het afschrift bleef. Zodra er iets
financieels geregeld moest worden, was ik uit mijn humeur.

Tom begreep er helemaal niets van: enerzijds wilde ik zo onafhankelijk
zijn als maar mogelijk was en anderzijds deed ik het in mijn broek waar
het om geldzaken ging. Met liefde wilde hij het van mij overnemen en
alles voor mij regelen, maar dan moest wat hem betreft wel alles op één
hoop, en dat was nu precies wat ik niet wilde. Nooit meer zou ik mijn
financiën koppelen aan die van een man, en in een poging mijn zelfstandigheid te bewaren kwam ik na een tijdje zelf met de suggestie op de proppen dat ik meer zou betalen aan het huishouden dan hij. We maakten een
verdeelsleutel naar het aantal personen dat we inbrachten (twee parttime
kinderen telden samen voor één fulltimer maar de mijne aten wel veel
minder) en we stortten elke maand keurig ons aandeel aan huishoudgeld
op een aparte rekening voor Albert Heijn, de bakker en de wijnhandel.
Wat mijn huis betreft was ik in eerste instantie onvermurwbaar: dat was
van mij en dat bleef van mij. Nooit meer wilde ik mij zorgen maken bij
een eventuele relatiebreuk, en als Tom uit pure trots geen gebruik wilde

---

14 Circa € 4100,-.

maken van zijn mogelijkheid tot gratis inwoning, dan moest hij maar huur betalen. Geen moment stond ik erbij stil dat ik Tom op deze manier veel te afhankelijk van mij maakte en dat hem dat razend maakte. Waarom wilde ik mijn vrijheid niet opgeven als ik werkelijk van hem hield? Waarom alles apart? Maar juist omdat ik alles zo precies uitrekende en de kosten eerlijk verdeelde, had ik geen moment het gevoel dat ik hem onrecht deed. Toch bleek mijn keurig uitgedachte regeling al snel nergens op te slaan, want er zijn natuurlijk talloze momenten waarop zo'n systeem niet werkt. Wie betaalt als je uit eten gaat, hoe houd je de verdeelsleutel vast tijdens vakanties en hoe beheers je je irritatie als je geliefde zijn derde paar schoenen in een half jaar tijd koopt terwijl jij al je geld kwijt bent aan kinderkleren? Wat viel ik mijzelf tegen als ik mijn pasje 'vergeten' was in het restaurant of als ik het autogebruik zo uitkiende dat ik niet hoefde te tanken. Als bij een wolvin die haar jongen ten koste van alles veilig moest stellen, draaide het voor mij nog altijd om overleven. Kinderachtig sprokkelde ik tientjes winst bij elkaar en negeerde ik opborrelende gevoelens van schaamte.

Natuurlijk had ik mijn verhaal wel klaar en kon ik haarfijn uitleggen waarom ik onze financiën zo graag gescheiden wilde houden: ik wilde kleren voor mijzelf kunnen kopen zonder aan Tom verantwoording af te leggen, ik wilde een cadeau voor hem kunnen uitzoeken zonder dat hij op het afschrift kon zien hoe duur het was geweest, ik wilde hem mee uit eten kunnen nemen. Maar Tom wilde helemaal niet dat ik verantwoording aflegde, en hij nam míj vooral mee uit eten.

Vooral wat het huis betrof maakte hij het me steeds lastiger: hij wilde zijn kinderen opvoeden in hun eigen huis, en niet terwijl ze ergens logeerden. Ik was inmiddels al jaren gewend aan het bezit van een eigen huis, en sprak onwillekeurig tegen de kinderen in termen van 'mijn slaapkamer' en 'mijn badkamer'. Tom beschouwde het elke keer weer als een bijna oorlogszuchtige onafhankelijkheidsverklaring, en het lukte me niet meer om zijn ergernis met een grapje weg te werken of weg te zoenen. Nu hij zijn eigen huis verkocht had, had hij geld genoeg om Caroline uit te kopen en kon hij bovendien een mooie verbouwing betalen. Langzaam werd de verleiding steeds groter om in zijn wens mee te gaan, maar tegelijkertijd bekroop me bij buien het angstige gevoel dat ik met open ogen in de val liep. Na zo'n verbouwing zou het huis zo veel waard zijn geworden, dat ik hem nooit meer zou kunnen uitkopen: een breuk zou onherroepelijk tot verkopen van dit huis en een verhuizing met de kinderen moeten leiden, met alle ellende van dien. Maar hoe langer we bij elkaar waren, hoe meer ik zin kreeg om me toch gewoon roekeloos en liefdevol aan mijn nieuwe man over te leveren. Op zulke momenten gaf het juist een extra gevoel van saamhorigheid als we ons werkelijk met handen en voeten aan elkaar zouden binden. Echte liefde was het pas, als je daar niet voor terugdeinsde.

We trouwden. Zelfs in gemeenschap van goederen. Want, redeneerden wij liefdevol, je gaat ervoor of niet. En in alle romantiek van het moment waarop Tom mij vroeg voor een tweede huwelijk, gingen we ervoor. Wie trouwt op huwelijkse voorwaarden straalt wantrouwen uit, vonden wij, en dat was precies wat we niet wilden. Niet alleen voor onszelf, maar ook voor alle kinderen, die dan ook euforisch op het nieuws reageerden. 'Nu is Tom pas écht mijn stiefvader,' zei Flip, en David vond dat ze nu voor de hele wereld broertjes en zusjes zouden worden. En zo werd mijn huis ons huis, werd Toms geld ons geld, en waren mijn spullen opeens ook van hem. Formeel.

Romantisch maar verstandig stortten we ons niet alleen in het avontuur, maar gingen we ook naar een notaris, om een testament te laten opmaken. De man had nog nooit eerder een stiefgezin in zijn praktijk gehad, en we hadden het geluk dat hij zich vol enthousiasme en zonder het ons in rekening te brengen op deze in zijn ogen fascinerende materie stortte. De wet bleek ons op dat moment nog geen mogelijkheid te bieden om alle kinderen in ons gezin een gelijk deel na te laten van onze bezittingen, omdat 'trouwen in gemeenschap van kinderen' kennelijk geen optie was.[15] Mochten wij op onze huwelijksreis met het vliegtuig neerstorten, dan zouden mijn kinderen met z'n vieren mijn helft erven, terwijl de jongens van Tom met z'n tweeën zijn helft zouden opstrijken en dus aanzienlijk beter af zouden zijn. Ik droomde hoe Hanna gniffelend 'mijn' huis betrok met haar jongens terwijl mijn kinderen zich ver van hun vertrouwde omgeving in het rijtjeshuis van Willem moesten proppen en lag er wakker van. Daarom stelden we op advies van de notaris ook nog een tamelijk melodramatische brief op, waarin wij nadrukkelijk de hoop vastlegden dat onze wens om de zes kinderen precies gelijk te bedelen door iedereen gerespecteerd zou worden. 'Laat dat maar aan mij over,' glimlachte hij. 'Als ik die brief met veel gevoel heb voorgelezen, durft niemand er nog tegenin te gaan.'

Alles was nu van ons samen – dat wilden we onze nakomelingen, maar vooral ook onze exen, duidelijk maken, en de notaris was onze man.

---

15 Inmiddels kun je in een testament wel degelijk laten vastleggen dat kinderen en stiefkinderen gelijkgetrokken moeten worden bij een erfenis.

Maar diep in mijn hart voelde het geen moment zo. Want je kunt formeel alles delen wat je wilt, je gevoel gaat er niet in mee. Je kunt tien keer vastleggen dat het huis nu van je samen is; wie er het eerst woonde voelt zich de eigenaar. Het bleef het huis dat ík had gevonden en gekocht en waar ík een nieuw leven wilde beginnen. In mijn huwelijk met Willem voelde alles nog wel gezamenlijk: degene die geld had, betaalde. Degene die een beetje meer rood kon staan, ging naar Albert Heijn. Waarom was het dan nu zo anders? Waarom stond ik nu de hele tijd onwillekeurig zo op mijn eigen financiële strepen en mijn eigen bezittingen?

Terwijl de gezamenlijkheid me in het eerste huwelijk voornamelijk roodstand en deurwaarders opleverde, kreeg ik nooit de neiging om mijn eigen inkomen en kosten apart te houden. Maar nu wilde het maar niet lukken met het gemeenschappelijke, en dat kwam door de kinderen. Want hoe duidelijk de wet ook stelt dat je samen opdraait voor de kosten van de kinderen: ze voelen nooit als gezamenlijk. In de eerste plaats al omdat er ook exen zijn die een deel van de kosten op zich moeten nemen, maar in de tweede plaats vooral om de eenvoudige reden dat kinderen nooit van je samen zijn, nooit écht helemaal honderd procent van je samen, als je ze niet samen gemaakt hebt of als je niet ten minste samen vanaf het eerste moment actief betrokken bent geweest bij hun komst. Dat houdt niet alleen in dat je als in een ouderwets Assepoesterverhaal onwillig kunt zijn om geld aan je stiefkinderen uit te geven, het betekende voor mij ook dat ik de kosten van mijn eigen kinderen zelf wilde betalen, uiteraard met behulp van de kinderalimentatie die ik van Willem ontving. Ik wilde voor geen goud het gevoel hebben dat ik mijn eigen kinderen niet kon onderhouden, dat ik Tom daarvoor nodig had. Dus betaalde ik de schoolgeldrekeningen, de sportclubrekeningen, de nieuwe fietsen en de kleren van mijn bankrekening, ook als ik dieprood stond. En omgekeerd vond ik dus ook, heel onsympathiek, dat de betalingen die Tom voor zijn kinderen deed, van zijn eigen rekening moesten komen. Ik denk dat in vrijwel elk stiefgezin steeds weer dezelfde vraag speelt die de achteloze gezamenlijkheid onmogelijk maakt: wie betaalt dit, waarvan en waarom?

Hoe logisch beredeneerbaar het ook is dat er in het stiefgezin weinig ruimte is voor diep gevoelde gezamenlijkheid waar het om de kinderen en de kosten gaat, het is tegelijkertijd ook een eeuwige bron van ruzie. Dat de liefde voor eigen kinderen sterker is dan die voor kinderen van een ander, lijkt in de meeste stiefgezinnen wel geaccepteerd. Dat je het hardst lacht om de grapjes van je eigen zoon, is oké. Dat een eigen dochter meer zorgen baart als ze te laat komt dan een stiefdochter, is geen probleem.

Maar je waagt je op zeer glad ijs als je het presteert om de objectief meetbare aandacht, het geld en de materie, ongelijk te verdelen. En ook daarbij spelen exen een lastige rol. Want zelfs als je er met grote zorgvuldigheid op toeziet dat je alle kinderen in huis in gelijke mate voorziet van geld en goederen, dan sturen de exen het gemakkelijk in de war. Willem overlaadt mijn kinderen elk weekend dat ze bij hem zijn met veel te dure en vooral volkomen onzinnige cadeaus en Hanna neemt zonder enig overleg financiële beslissingen die diep ingrijpen in ons gezin. Haar kinderen worden sinds haar overwinning bij de rechtbank enorm verwend, en mijn kinderen kijken jaloers toe. De vrouwelijke rechter heeft haar tot 'financieel verantwoordelijke ouder' bestempeld, omdat de kinderen door de oppasoma nét even wat vaker in haar huis verblijven dan in het onze. En dat houdt in dat ze van Tom geld krijgt en dat zij vervolgens alle rekeningen moet betalen die buiten de dagelijkse zorg vallen. Op zichzelf helemaal niet zo onhandig, zo'n regeling, want het voorkomt dat je voortdurend moet communiceren over rekeningen en kosten, maar een dodelijke uitspraak van een rechter die tijdens de rechtszaak al heeft ondervonden dat er tussen vader en moeder geen enkele communicatie mogelijk bleek.

In de ogen van Hanna is zij 'hoofdouder' geworden, en dat blijkt voor haar te voelen alsof Tom uit de ouderlijke macht is gezet. Vanaf de dag van de uitspraak beslist moeder alles opeens op eigen houtje, terwijl haar keuzes ons dagelijks leven ingrijpend beïnvloeden. Alles groeit scheef in ons stiefgezin. Brandingkanoën met school voor de prijs van 45 euro voor een paar uurtjes vind ik voor mijn kinderen te duur, dus die mogen niet. Maar die van Tom mogen wel, want Hanna heeft al betaald, en zo vertrekken dus alleen de stiefkinderen voor een leuk dagje aan zee vanuit ons huis terwijl de mijne het nakijken hebben. Hanna kan het allemaal betalen, want voor haar twee parttime kinderen krijgt ze van ons in totaal aanzienlijk meer dan ik voor mijn vier fulltimers van Willem ontvang, en dat steekt.

Het duurt maar even of we hebben 'twee prinsjes' in huis, zoals ik ze in chagrijnige buien smalend noem. Ze krijgen in vergelijking met mijn kinderen het dubbele aan kleedgeld, ze zijn in het bezit van dure mobiele telefoons en andere technische snufjes waar mijn kinderen alleen maar van kunnen dromen en door mijn stiefzoons kom ik erachter wat de hipste en meest gewilde merken op het moment zijn. Lelijke bloesjes zijn nu verleden tijd: in plaats daarvan worden er voortdurend peperdure merkspijkerbroeken aangesleept en wandelt het ene paar prijzige sportschoenen na het andere ons huis binnen. En ik ben plaatsvervangend jaloers. Stinkend jaloers. Ik wil mijn kinderen ook zulke dure schoenen gunnen, ik wil ze ook zo veel kleedgeld geven, maar dat kan ik met geen mogelijkheid betalen. En die sportschoenen van David en Max, vind ik, worden betaald door 'ons'. En daardoor heb ik niets meer over voor mijn eigen kinderen, zo redeneer ik, geheel voorbijgaand aan mijn eigen apartheidsprincipe waar het om de kinderkosten ging. En ik ben woest.

Tom staat er geheel anders tegenover: die hoge alimentatie betaalt hij in afwachting van het hoger beroep voorlopig toch wel, en dan ziet hij wel graag dat er ook een aanzienlijk deel van bij zijn kinderen terechtkomt. Liever dure schoenen voor de jongens dan een leren jasje voor Hanna. Wie heeft er nu eigenlijk last van? Ik. En niet alleen ik.

Flip staat op een ochtend voor de slaapkamerdeur op me te wachten als ik net onder de douche uitkom. Het is zaterdagochtend: sportochtend. Het rooster hangt aan de koelkast; iedereen weet hoe laat hij waar moet zijn. Flip heeft alle tijd, en hij heeft zojuist iets gezien. Met samenzweerderige blik en bijna fluisterend vertelt hij het me: 'Max is net naar zijn hockey-wedstrijd gegaan, en Tom gaf hem vijf euro mee voor een broodje kroket en iets te drinken!' Zijn gezicht staat op diep verontwaardigd. Mijn man heeft zojuist een misdaad begaan en ik zou hem daar graag onmiddellijk in willen volgen, maar ik heb weer eens geen geld in huis. Gelukkig heb ik een milde bui vandaag, en zo weersta ik dus de verleiding om direct in zijn verontwaardiging mee te gaan en 'belachelijk!' te roepen. In plaats daarvan zeg ik verstandige dingen: 'Ach joh, wat kan jou dat nou schelen? Tom voelt zich waarschijnlijk gewoon schuldig omdat hij als coach elke week met David en Casper meegaat en nooit meer eens bij Max kan komen kijken. En nou koopt hij zijn schuldgevoel af met een beetje geld; nou, én? Hij geeft hem toch niet jouw geld?' Nee, maar Flip vindt het toch werkelijk niet in de haak en bijzonder oneerlijk, want hij moet altijd maar smakeloze boterhammen met worst meenemen en bovendien heb ik mijn kinderen verboden hun zakgeld uit te geven aan vieze vette dingen. Een broodje kroket na de wedstrijd, dat is toevallig wel het ultieme genot, en dat is nu uitsluitend Max gegund. Met een schouderophalen en een aai over zijn hoofd stuur ik hem naar boven om zijn voetbalspullen in orde te maken.

Ik probeer het verhaal van me af te zetten, er niet aan te denken. Maak er nou niet weer zo'n gedoe van, denk ik wijs. Maar het lukt niet, want ik kan het net als Flip niet uitstaan. Het maalt door in mijn hoofd en het zoekt er een plekje in een donker hoekje, waar het lang kan blijven zitten. En op een dag, wellicht pas na weken, zal het eruit komen. Op een moment waarop Tom misschien humeurig doet omdat ik niet streng genoeg ben voor mijn rotzooimakende dochter, of waarop hij het raar vindt dat ik bereid ben het zwembad voor mijn zoon te betalen en suggereert dat ik mijn eigen kind bevoordeel, zal het er toch opeens uitkomen: 'Zeg jij maar niks!' Slaande ruzie is snel gemaakt. En gaat bij ons vrijwel nooit ergens over. Dagen later komt er dan misschien toch nog een wat onwillig excuus: 'Had ik niet moeten doen, die vijf euro, maar je had wel gelijk: ik voelde me schuldig.' En ik zal het niet kunnen laten om dan toch nog even op bitse toon mijn gelijk te halen: 'Als ik steeds aan mijn vier kinderen vijf euro geef als ik niet met ze meega naar een sportwedstrijd, zijn we snel failliet.'

Juridische Zaken: Onderhoudsplicht

Bijdragen aan de kosten

Als stiefouder ben je wettelijk verplicht in het **levensonderhoud** van je stiefkinderen te voorzien. Artikel 395 van het Burgerlijk Wetboek zegt het zo:

Een stiefouder is alleen verplicht gedurende zijn huwelijk of zijn geregistreerd partnerschap levensonderhoud te verstrekken aan de tot zijn gezin behorende minderjarige kinderen van zijn echtgenoot of geregistreerd partner.

Het spreekt voor zich dat het hier om zowel stiefvaders als stiefmoeders gaat. Technisch gezien kan de ex van je partner dus ook bij jou aankloppen voor kinderalimentatie, zelfs al leef je niet in gemeenschap van goederen.
Je zit 'veilig' zolang je informeel samenwoont.

Draagkracht

Op grond van artikel 404 uit het Burgerlijk Wetboek ben je als stiefouder verplicht om naar draagkracht te voorzien in de kosten van verzorging en opvoeding van de minderjarige kinderen uit je gezin.
Ben jij dus vermogend en is je partner dat niet, dan kunnen jouw kosten theoretisch aanzienlijk hoger uitkomen dan die van hem (of haar).

Homoseksuele relatie

Een geregistreerd partner in een homoseksuele relatie geldt ook als stiefouder. Op de notarissite www.notaris.nl is te lezen: *De niet-ouder in een huwelijk van twee vrouwen of twee mannen heeft als stiefouder een onderhoudsplicht jegens de kinderen in het gezin.*

10

VRIJWILLIGERSWERK

Bovendien bestaat de rechtspositie van de stiefouder in ons recht hoofdzakelijk uit plichten (met name een eigen financiële onderhoudsplicht jegens zijn stiefkind op grond van aanverwantschap in de eerste graad), waartegenover nauwelijks eigen rechten van de stiefouder staan. (...) De onduidelijke juridische positie van deze groep 'ouders' vormt dan ook een bron van rechtsonzekerheid. Niet alleen voor de stiefouder zelf, maar ook voor het aan zijn feitelijke zorg toevertrouwde stiefkind.

Uit: *Bloedband versus Stiefband*, lezing ter gelegenheid van de jaarvergadering van de SSN, Tilly Draaisma, 23 maart 2002.

'Gaan we vanavond?' Het is een frisse maar zonnige lentedag, en Tom en ik zitten met onze jas aan in de late middagzon in de voortuin van een glas witte wijn te genieten. Als de zon zo uitbundig schijnt, rust haast de morele plicht op je om aan de ijskoude witte of desnoods roze wijn te gaan, ook al vraagt de luchttemperatuur eigenlijk meer om chocolademelk. Vanavond is het een 'Hakaba' zoals wij het spottend noemen: een HuisKamerBijeenkomst of HKB op de middelbare school van onze kinderen. De term lijkt een restant uit vervlogen tijden waarin pijprokende ouders met sandalen en indrukwekkende baardgroei onder het genot van een kopje kruidenthee zonder suiker de ontwikkeling van hun kinderen bediscussieerden. De tijden zijn veranderd maar de terminologie is wat blijven hangen op deze school, en hier heet een kind een 'werker' en zijn leraar een 'medewerker'. Hoewel we ervan griezelden en Willem zelfs letterlijk met 'Brrrrr...' reageerde toen ik hem over de nieuwe school vertelde, hebben we de grootheid op kunnen brengen ons hier overheen te zetten. En vanavond wacht ons de eerste Hakaba. Zouden ze van de klas in hun antiautoritaire enthousiasme een sfeervolle woonruimte met kaarsen, visnetten en wierook gemaakt hebben? Onder invloed van de wijn wordt onze fantasie levendiger, en uiteindelijk voelt het als een happening die je niet mag missen: we gaan.

De Hakaba van vanavond is voor ouders van brugklassers, en daar hebben wij er drie van: één van Tom en twee van mij. Daar houdt geen Hakaba-organisator rekening mee natuurlijk. Tom hoeft niet te kiezen, maar ik kom er niet goed uit wat ik moet doen, en besluit ten slotte maar dat ik heen en weer zal lopen tussen de klassen van mijn eigen twee kinderen. Het ligt voor de hand dat ik in zo'n situatie niet ook nog een stiefkind bedien. Het is wel even geleden dat ik mij presenteerde op een school, en ik kan me al helemaal niet herinneren dat ik ooit op een ouderavond verscheen met een man aan mijn zijde. Terwijl ik op de oude basisschool in de stad kind aan huis was, begreep ik al snel dat ik op onze dorpsschool geen plaats had. De christelijke moeders met ontzagwekkende bilpartijen, heftig gekleurde fietstassen en parttime banen in de bejaardenzorg leken wel van een andere planeet te komen. Als Tom mij niet gevonden had, was ik zonder twijfel eenzaam weggekwijnd in mijn vooroorlogse huis zonder de sociale contacten van weleer. Ongetwijfeld zijn er vanavond wat van die oude bekenden aanwezig, dus we moeten wel uitstralen dat het ons goed gaat samen. Zou Hanna er ook zijn? De jongens zijn deze week bij ons, dus strikt genomen vinden we eigenlijk dat zij er niets te zoeken heeft, maar ja: het zijn ook haar kinderen.

Ik parkeer mijn oude bak met mijn luie geest zo dicht mogelijk bij de voordeur, en samen met Tom loop ik naar binnen. Hand in hand, is dat te klef? Toch maar los. Alsof ze licht geeft, zie ik haar direct staan in de grote mensenmassa: Hanna. Hoewel ik mijn blik maar enkele seconden op haar richt, registreer ik meteen dat ze zich niet op haar gemak voelt en vurig staat te hopen dat iemand naar haar toe komt. Wij niet. De verhoudingen zijn er te zeer voor verziekt. Wat zou het toch leuk zijn als er helemaal geen rechtszaak was geweest en we gewoon op elkaar konden aflopen. Als we als vanouds even cynisch konden mopperen op de school voordat we aan onze hakaba's begonnen en even belangstellend bij elkaar konden informeren naar het wel en wee van onze kinderen. Dat zou ook wel weer raar zijn nu, want een groot deel van het wel en wee van die van haar speelt zich natuurlijk bij mij thuis af en kent zij helemaal niet. In een *split second* heeft ze me gezien en ze wendt snel haar blik af, ook zonder Tom te groeten.

Pas als ik goed om me heen heb gekeken, dringt tot mij door dat de meeste ouders in de grote hal me wel érg bekend voorkomen. Het merendeel ken ik van de oude basisschool uit de stad: witte ouders met witte kinderen, witte idealen en Groen Links posters op de ramen in verkiezingstijd, hebben hun stadskinderen naar deze veel te dure witte dorpsschool gestuurd. De kleuterouders van weleer met hun links van het midden opvoedingsidealen drommen hier samen met flink oudere koppen, flink minder liefdevolle gezichten en flink minder idealen. Als een kliek bange, witte mensen: vluchtelingen uit de stad. Een enkele gesoigneerde zwarte man in cameljas staat met Amerikaans accent te babbelen met een geblondeerde bodywarmer met Oililyshawl, terwijl hier en daar een verdwaalde artistiekeling nog laat zien dat we met 'een bijzondere school' te maken hebben. Bijzonder wit; dat is alvast zeker. Geen hoofddoek te bekennen. Veel aanwezigen maken ons met hun lichaamstaal, wijze van groeten en gezichtsuitdrukking direct duidelijk wat we aan ze hebben: de een groet ons afgemeten en kijkt snel een andere kant op, terwijl de ander breed grijnzend zwaait alsof men nog altijd blij verheugd is over onze drie jaar geleden plotseling opgebloeide romance. Het is niet moeilijk om te bepalen bij wie we ons het beste kunnen aansluiten.

Hanna kiest een haar welgevallig groepje en staat een paar meter van ons af. In de wetenschap dat ze uitzicht op ons heeft, kan ik het niet laten een arm om Tom heen te slaan en het de hele oude kliek te laten zien: wij horen nu in dit dorp en op deze school thuis en wij zijn gelukkig! Tom geeft me alleen een vluchtige zoen op mijn mond en blijft rustig zo staan.

De avond gaat beginnen: 'Wilt u nu naar het lokaal van de klas van uw zoon of dochter gaan?' Hoe ga je naar zowel de klas van je zoon als die van je dochter? Een 'gewoon' stel lost dat natuurlijk eenvoudig op; moeder gaat naar de een en vader naar de ander, en na afloop bespreken zij onder het genot van een glas wijn hun bevindingen. Maar wij zijn geen gewoon stel. Terwijl we zojuist nog zo provocerend stonden uit te dragen hoe geweldig wij het samen hebben, sta ik nu opeens alleen. Tom moet dezelfde kant op als Hanna, en hij geeft me nu niet eens een zoen bij het afscheid. 'Tot straks,' zegt hij slechts zachtjes, waarna hij zich omdraait en achter Hanna aanloopt. Onbehagen vult mijn lijf als ik sta te kijken hoe ze samen een lange gang in verdwijnen; het is nergens aan te zien dat ze elkaar kennen.

Ik moet een andere kant op en realiseer me opeens dat ik helemaal niet weet hoe ik straks halverwege van het ene lokaal naar het andere moet komen. De school lijkt een enorm doolhof: hoe weet ik nou waar het biologielokaal is? Waar is in godsnaam lokaal T22? De tranen zitten opeens heel hoog in mijn keel en ik haal even diep adem. Ik heb een man, maar er is nog steeds geen vader. Na al die jaren loop ik toch weer alleen door een school, weet ik weer niet hoe ik voor al mijn kinderen tegelijkertijd moet zorgen, ben ik weer die alleenstaande gescheiden moeder. Terwijl David vertegenwoordigd wordt door maar liefst twee ouders die van hem houden, moeten mijn kinderen het nog altijd elk met een halve moeder doen.

Stiefouderschap is vrijwilligerswerk. Dat Tom zich geen moment afvraagt naar welke klas hij zal gaan, komt daar direct uit voort. Je gaat pas eten voor bejaarden rondbrengen als je het eten voor je eigen gezin op z'n minst in huis hebt, en je gaat niet lopen collecteren voor Amnesty International als je hard moet werken om je eigen gezin uit de armoede te houden. Eigen verantwoordelijkheden komen altijd eerst, en in een stiefgezin zijn de verantwoordelijkheden heel duidelijk verdeeld. Je kunt in het dagelijks leven de hele dag lopen uitstralen dat je één groot harmonieus gezin bent, maar op momenten als een ouderavond valt de kluit onherroepelijk in tweeën: jouw kinderen zijn exclusief van jou. Want een stiefouder is uiteindelijk toch niets meer dan een vrijwilliger, die zich uit liefde voor een partner bereid verklaard heeft om een deel van de zorg op zich te nemen voor één of meer vreemde kinderen. En zoals altijd bij vrijwilligers, moet je blij zijn met wat je krijgt. Als vrijwilligster moet je op jouw beurt weer blij zijn met wat je mag. Net zomin als een vrijwilliger in het ziekenhuis de gelegenheid krijgt om een operatie uit te voeren of een ernstige ziekte te behandelen, krijg je als stiefouder ooit de gelegenheid om werkelijk een verschil te maken. Veel verder dan het bloemenwater verversen of tijdschriften rondbrengen in het leven van je stiefkinderen kom je niet: de wezenlijke taken liggen bij de echte ouder en blijven daar. Als stiefouder help je bij de opvoeding en de verzorging van elkaars kinderen, je praat mee over de keuzes die gemaakt moeten worden, je neemt waar als de echte ouder er niet is en je adviseert elkaar bij problemen. En zonder dat we het er ooit expliciet over gehad hebben, trekken we met z'n allen duidelijk dezelfde grens: waar het om belangrijke kinderdingen gaat, splitsen we ons volautomatisch en eendrachtig op in twee éénoudergezinnen. Je zieke kind is voor jou, zijn kots ook, en zijn verjaardagscadeaus zoek je zelf uit.
Belangrijke beslissingen die de kinderen aangaan, liggen bij de eigen ouder. Het is een onuitgesproken regel, maar we hanteren hem trouw en onwillekeurig. En daarmee gaan we dwars tegen alle adviezen in die we overal op internet en in boeken aantreffen. Want wij worden geacht aan de lopende band te overleggen, familievergaderingen te beleggen, het samen overal over eens te zijn en meer dan in elk ander gezin één lijn te

trekken. Tom en ik denken over sommige dingen in de opvoeding echter fundamenteel verschillend, en in plaats van oeverloze overlegsessies om te bereiken dat we het eens worden, besluiten we op belangrijke fronten uiteindelijk over onze eigen kinderen. We discussiëren wel, en we verschillen soms ook heftig van mening, maar die van de echte ouder geeft de doorslag. Als nou íets een groot voordeel van het stiefgezin kan zijn, dan is het dat: er is geen consensus nodig. Ik beslis of het vriendje van Anouk bij haar in bed mag blijven slapen, Tom beslist of David met zijn vriend en ouders mee mag op vakantie naar Ghana. We adviseren elkaar, soms ook luidkeels of zelfs vloekend, maar van elkaars beslissingen blijven we af, zolang die niet over de eigen kindgrenzen heen gaan. Voor een goede beslissing is wezenlijke betrokkenheid nodig, en die ligt nu eenmaal in de eerste plaats bij de echte ouder.

Niet alleen in onze eigen ogen ligt het zo; ook in de ogen van de buitenwereld is de stiefouder geen echte partij. Dat wordt duidelijk als David op een dag zijn vinger breekt op school. Heftig van de kaart en hevig pijn lijdend wordt hij naar de conrector gebracht, die doeltreffend bedenkt dat de ouders gebeld dienen te worden. De jongen moet overduidelijk naar het ziekenhuis, en er moet iemand mee. 'Bij wie ben je deze week?' vraagt hij geroutineerd, als leider van een school waar gescheiden ouders minstens zo normaal zijn als getrouwde. 'Bij mijn vader,' antwoordt stiefzoon enerzijds adequaat maar anderzijds ook alsof er geen sprake is van ons achtpersoons gezin op kleine afstand van de school. David weet dat ik die dag gewoon thuis ben, maar hij geeft slechts het mobiele nummer van zijn vader. Waarom tenslotte de goede wil van een vrijwilligster inschakelen als het echte werk ook voorhanden is? De conrector belt Tom, maar die blijkt op een vergadering in Roosendaal te zitten, dus dat schiet niet op. Wat nu? Moeder Hanna werkt op minstens tien kilometer afstand van de school en gaat trouw op de fiets, dus zij zal niet snel op school kunnen zijn, maar desondanks geeft David haar telefoonnummer. Vanzelfsprekend springt zij als echte en dus verantwoordelijke moeder onmiddellijk op de fiets, of in een taxi, ik weet het niet eens, en spoedt zij zich naar school. Liefdevol omarmt ze haar gekwelde zoon, die inmiddels al minstens anderhalf uur lang pijn lijdt zonder hulp, en gezamenlijk reizen zij, geplaagd door ingewikkelde dienstroosters, met het openbaar vervoer af naar het ziekenhuis, waar de gebroken vinger eindelijk wordt behandeld.
Niemand is die dag op het idee gekomen dat de stiefmoeder hier, compleet met auto, een functie had kunnen hebben en ik weet nog altijd niet goed wat ik daarvan moet denken. 'Waarom heb je mij niet gewoon ge-

beld?' vraag ik zo onbevangen en vriendelijk mogelijk aan mijn stiefzoon als hij het hele verhaal vertelt. Oprecht verbaasd kijkt hij me aan en hij denkt even na. 'Daar heb ik helemaal niet aan gedacht, dat dat kon,' zegt hij vervolgens aarzelend en in alle eerlijkheid. En ik begrijp het. Of ik wel gebeld zou zijn als Hanna onbereikbaar was geweest, zal ik nooit weten.

Op een vrijwilligster in het leven van kinderen wordt weinig beroep gedaan, en daarmee zit je absoluut in een riante positie. Ik kan mij comfortabel gepasseerd gaan zitten voelen omdat niemand mij belde toen David zijn vinger brak, terwijl ik er natuurlijk geen moment werkelijk rouwig om ben dat ik met rust gelaten ben en dat ik niet een halve middag met een pijn lijdend kind in een benauwde wachtkamer heb hoeven doorbrengen. Misschien krijg je te weinig erkenning, maar dat heeft ook zijn mooie kanten. En dat de wereld je niet erkent als verzorger of opvoeder, wil bovendien niet zeggen dat je in het leven van de kinderen niet heel waardevol kunt zijn. Juist omdat jij geen deel uitmaakt van het emotionele spinnenweb waarin het stiefkind verzeild is geraakt, juist omdat jij aan de zijlijn staat, kun je voor enig licht zorgen in de duisternis na een scheiding. Maar het is wel zoeken. Vanaf het moment dat je stiefkinderen aarzelend de voordeur binnenstappen en onwennig grijnzend toekijken hoe hun vader jou zoent, ben je voortdurend aan het proberen welke rol je het best past. Hoe ga je met die kinderen om? Wat wil je voor ze zijn? Moet je zo snel mogelijk vertrouwd met ze raken of gun je elkaar eerst nog even wat afstand? Kun je ze meteen al iets verbieden of ze op hun donder geven, of is dat ongepast? Kun je ze inzetten voor een klusje, of kies je daarvoor voorlopig alleen je eigen kinderen? Mag je het laten merken als ze je ergeren en mag je aan hun gewoonten sleutelen?
Mijn stiefzoons kwamen ons leven binnenwandelen toen ze acht en tien jaar oud waren. Twee welwillende maar ongelukkige jongetjes die nog maar net begonnen waren aan het ingewikkelde leven in het gelijk verdeelde co-ouderschap en nu ook nog een stiefmoeder op hun dak kregen. In het begin bleef ik ze onwillekeurig behandelen als de vriendjes van mijn zoons; vriendjes met wie ik geen bijzondere band had en die nu opeens onwaarschijnlijk vaak bleven logeren. Als tot je doordringt dat die vriendjes bij je zijn ingetrokken in de rol van stiefzoons, en dat ze net zo veel bij jou zullen zijn als bij hun eigen moeder, leg je jezelf de taak op om ze met een frisse blik te bekijken. Eerdere oordelen die je had, leg je zo snel mogelijk naast je neer. Je wilt ze graag het gevoel geven dat ze thuis zijn in jouw huis, al was het maar omdat je weet dat je man dat graag wil. Maar het is niet zo eenvoudig om direct met stiefkinderen om te gaan

alsof ze bij je horen. Kun je nu opeens in je onderbroek door het huis lopen terwijl ze je nog nooit anders dan keurig in de kleren hebben gezien? Kun je wel toegeven aan chagrijnige buien en onderuitzakken, of moet je eerst nog maar even de vriendelijke en wat afstandelijke vriendjesmoeder blijven die ze al jaren kennen en jezelf verloochenen? Dat gaat moeilijk als ze er opeens dag en nacht zijn. Kun je het maken om ze naar boven te sturen omdat je behoefte aan rust hebt terwijl je weet dat ze dat helemaal niet gewend zijn? Moet je ze aldoor het gevoel geven dat ze buitengewoon welkom zijn omdat ze het toch al zo moeilijk hebben? En doe je daarmee dan je eigen kinderen geen onrecht, van wie je tenslotte veel meer houdt? Alleen de gekunsteldheid al van de situatie zorgde er in de beginperiode voor dat ik elke keer toch weer opgelucht ademhaalde als ze weer naar hun moeder gingen. En zij deden vast hetzelfde, hoeveel ze ook van hun vader houden. Want ook voor hen hing het leven al snel aan elkaar van kunstmatigheid. Bij mij geen grote monden, geen onwilligheid bij klusjes, geen geruzie en zelfs bijna diepe dankbaarheid als ik ze eens naar een sportwedstrijd bracht of hielp met hun huiswerk. Gunsten vraag je in hun ogen niet van een stiefmoeder, want ook die jongens lijken het maar al te goed te begrijpen: jij bent een vrijwilliger, je hebt nooit om ons gevraagd, we zijn niet echt van jou en je hoeft dus eigenlijk niets voor ons te doen als je niet wilt. De beleefdheid waarmee ze me vanaf de eerste dag benaderden benadrukte tegelijkertijd luid en duidelijk de afstand tussen ons, en die afstand blijkt slechts moeizaam te overbruggen. De enige momenten waarop ze duidelijk bereid lijken mij in hun hart te sluiten, zijn de momenten waarop ik hun vader plaag of, zoals zij het noemen, 'uitlul'. Dat ik geen heilig ontzag voor Tom heb en er niet voor terugdeins om hem bij buien een beetje in de maling te nemen, vindt vooral David geweldig. Dat ik fier overeind blijf als hun vader in zeldzame momenten van drift tegen me tekeergaat, oogst absoluut bewondering en een enkele maal zelfs een voorzichtige steunbetuiging achteraf. Ik moet oppassen dat ik die situaties niet ga opzoeken, om te scoren bij mijn stiefzoons. Want ik wil al vanaf het allereerste begin, en diep in mijn hart, toch wel heel graag dat ze me waarderen. En ik heb na enige tijd ontdekt wat dat voor elkaar kan krijgen: 'het goede gesprek'. Of het nou gaat om hun persoonlijke angsten, de gevolgen van drugsgebruik, de oorlog in Irak, de verschillende geslachtsziekten of het gedrag van een leraar op school: met mij kun je het overal over hebben. En ik geniet ervan hoe die twee nieuwkomers er genoeglijk voor gaan zitten, terwijl mijn eigen kinderen zich na het jarenlange geouwehoer van hun alleenstaande moeder het liefst zo snel mogelijk uit de voeten maken.

Mijn kinderen hebben op hun beurt ook zorgvuldig gezocht naar de positieve punten in hun eigen vrijwilliger. Het leven werd na de komst van Tom en zijn jongens in eerste instantie één groot feest. We waren er in onze vrolijke verliefdheid altijd toe bereid om leuke dingen te doen en we hadden er in de beginperiode ook geld genoeg voor: naar het strand, uit eten, dure sinterklaascadeaus; lang leve de lol. Maar het duurde niet zo lang voordat we overgingen tot de orde van de dag. De realiteit drong zich al snel keihard aan ons op in de vorm van rechtszaken, financiële problemen, ziekte en zelfs ontslagdreiging, en de verliefdheid zette zich noodgedwongen en veel te snel om in een (meestal) rustig houden-van. We aten weer gewoon aardappels met bloemkool, vroegen de kinderen naar hun huiswerk, en maakten net als in elk gezin ruzie over de vraag wie de honden uit moest laten.

En wat overgebleven is voor mijn kinderen, is een altijd aanwezige stand-in voor hun vader, een vrijwilliger die maar niet wil begrijpen dat ze niet zomaar bereid zijn hun chaotische gewoonten voor hem af te schaffen. Terwijl er altijd schone kleren in de kast liggen en er elke dag een verantwoord maal op tafel staat, verlangen de kinderen soms hardop zuchtend terug naar de puinhopen van weleer. Maar Tom heeft gelukkig ook leuke kanten voor ze: om te beginnen poetst hij met zijn liefde de humeurigheid van hun moeder weg en bovendien blijkt hij uitermate geschikt voor een potje stoeien of het melig commentaar bij Studio Sport, en beschikt hij in tegenstelling tot hun moeder over het geduld om ze te leren koken, een zaag te hanteren of een fietsband te plakken. Ontroerd bekijk ik de nieuwe vaderfiguur in het leven van mijn nakomelingen, die duidelijk een gat vult dat ik nooit heb kunnen vullen en die ook reden geeft voor trots. 'Weet je hoe hárd hij gaat als je hem met andere hardlopers vergelijkt?!' merkt mijn sportzoon Flip op een dag bewonderend op als hij Tom ziet vertrekken voor zijn vaste hardlooprronde, en puberdochter Anouk vermeldt een paar dagen later 'en passant' dat die Tom toch wel een knappe man is om te zien.

Ook mijn kinderen verlangen niets van hun stiefouder en realiseren zich maar al te goed dat hij niet om ze gevraagd heeft. Maar ze vinden wel dat hij te veel van hen verlangt, en hem blijven de grote bekken en geïrriteerde blikken dan ook niet bespaard: mijn kinderen gaan maar één weekendje per maand naar hun vader, en een houding van beleefde afstandelijkheid ligt kennelijk minder voor de hand als je je vrijwilliger altijd om je heen hebt. Terwijl Casper onder alle omstandigheden de laconieke welwillendheid in persoon blijft, trekt Flip met enige regelmaat geïrriteerd zuchtend zijn wenkbrauwen op, stampt een in haar trots gekrenkte Sophie geregeld beledigd de trap op en knalt het op gezette tijden heftig tussen Anouk en Tom. Dat hij niet haar echte vader is, betekent wat haar betreft vooral dat hij enerzijds geen recht op inbreng heeft en dat zij anderzijds geen risico loopt als ze de pijlen van haar puberonwil geheel en al op hem richt. Hem kan ze zonder gevaar een grote mond geven, hem kan ze liefdeloos bejegenen zoveel ze maar wil, hem kan ze naar hartenlust trotseren zonder het risico te lopen dat ze ouderliefde verspeelt. Denkt ze. Want ze mag dan niet bang zijn dat ze de liefde van Tom verkwanselt, ze realiseert zich niet wat ze met mijn liefde doet. Razend kan ik er inwendig om worden als ze mijn geliefde uitdaagt, want wat moet ik ermee? Ik sta erbij en kijk ernaar hoe mijn lieve dochter op gezette tijden verandert in een heks en wacht keer op keer gespannen de reactie van Tom af: hoeveel kun je hebben als vrijwilliger voordat je de handdoek in de ring gooit? Zij hoopt dat ik weer helemaal van haar word en de liefde van mijn leven de deur uitgooi, en hij hoopt hoogstwaarschijnlijk dat ze jong op kamers gaat. En ik houd van allebei en wil ze niet kwijt. 'Je laat met je sollen,' merkt Tom woest op. 'Tom heeft een hekel aan me,' huilt zij dramatisch.

Stiefmoeder zijn is ingewikkeld, maar je kinderen in harmonie laten samenleven met een stiefvader is al helemaal geen sinecure. 'Je kunt hysterisch doen en krijsen zoveel je wilt, Anouk,' zeg ik op een dag als ze weer snikkend de trap op rent en ik haar achternaloop naar haar kamer, 'maar ik doe hem niet weg. Nooit.' Het lijkt me het beste om althans die indruk te wekken, terwijl ik me toch geregeld afvraag of deze man wel bij me past. Terwijl het zelfmedelijden nog in dikke druppels langs haar gezicht druipt, kijkt ze me nu opeens vinnig aan: 'Nee, dat zal wel niet, want je houdt namelijk van hem!' 'Ja, dat klopt,' zeg ik nuchter, 'en ik houd ook van jou. Maar dat gekrijs van je kan ik niet uitstaan. Tom doet enorm zijn best, en jij gedraagt je als een spuugverwend kreng.' Woedend omklemt ze als tienercliché uit de zestiger jaren haar knuffelbeer en zuchtend daal ik de trap weer af. Daar staat een in stilte briesende vrijwilliger in de keuken, die zich nu het liefst uitgebreid zou beklagen over mijn sprankelende dochter maar wijselijk besluit zijn mond te houden. 'Koffie?' vraagt hij alleen maar. Hoe kan ik hem lastigvallen met mijn zorgen over Anouk? Hoe kan ik van hem verlangen dat hij zich druk maakt om haar schooldebacle en haar foute vriendjes? Niet alleen beslissingen zijn in eerste instantie voor de eigen ouder – ook de zorgen, vind ik.

De dagelijkse beslommeringen en verantwoordelijkheden verdelen naar eigen bloed is lastiger. Je wilt graag in je eentje het beslissingsrecht waar het om je kinderen gaat, en je bent ook nog wel bereid in je eentje wakker te liggen van de zorgen, maar met de klusjes ligt het anders. Van de tijd na mijn echtscheiding herinner ik me vooral het gevoel van opluchting: nu Willem weg was, was het zonneklaar wie de taken op zich diende te nemen. Niet langer geruzie en gekissebis over de verdeling, want het was simpel: alle taken waren voor mij. Ik zuchtte niet langer geërgerd als de vuilniszak weer veel te vol zat, maar pakte hem gewoon op en zette hem buiten; ik wierp geen geïrriteerde blikken op de klok als de hond aldoor maar niet werd uitgelaten, maar liet hem noodgedwongen gewoon zelf uit. Geen hoopvolle blikken meer op volle wasmanden of op kinderen die in bed gestopt moesten worden; de verantwoordelijkheid was voor mij, en voor mij alleen.

Maar nu heeft er weer een man zijn intrek genomen in mijn leven: een vrijwilliger waar ik geen openlijk beroep op kan doen waar het om mijn kinderen gaat, maar tegelijkertijd iemand die het veel minder druk heeft dan ik om de eenvoudige reden dat hij minder kinderen heeft, die er ook nog eens minder vaak zijn. In zijn jongensloze weken blijft Tom 's morgens heerlijk in bed liggen terwijl ik beneden in alle vroegte met slaperig gelaat de goede moeder loop uit te hangen. In die weken hoeft hij nooit iemand te halen of te brengen en heeft hij niets met huiswerk te maken. Terwijl ik in het donker de regen in moet en avond aan avond heen en weer raas van voetbalclub naar ouderavond en weer terug, blijft Tom genoeglijk met een glas wijn in zijn handen op de bank achter. 'Wil je eigenlijk dat ik meega?' vraagt hij nog wel eens gedienstig bij een rapportgesprek van Sophie, terwijl hij toch wel weet dat ik stoer 'nee hoor' zal brommen en demonstratief het pand zonder zoen zal verlaten. Voor haar zorgt hij nu al vanaf haar vijfde jaar en hij voelt zich aardig bij haar schoolloopbaan betrokken, maar ik haat het als hij het brengt alsof hij zich opoffert. Bovendien kan ik het niet uitstaan dat hij als vrijwilliger de klusjes mag uitkiezen.

'Kom je nu bij mij kijken, mam?' vraagt Sophie hoopvol. Flip zit achter de computer en print het wedstrijdprogramma van morgen uit, voor op de koelkast. Onze kinderen bevolken nu vijf voetbalteams van onze favoriete voetbalclub; ook Max heeft zich inmiddels bekeerd tot het voetbal en fietst niet langer in eenzaamheid naar de hockeyclub. Allemaal zijn ze nu lid van dezelfde club, waar maar liefst acht meidenteams spelen en waar getatoeëerde mannen met stekelkapsel een zeldzame maar vrolijke afleiding vormen tussen de zachtaardige Groen Links vaders.

Ik sta weer voor mijn wekelijks terugkerende dilemma: bij wie ga ik kijken? Mijn vier kinderen zitten in vier verschillende teams; die van

Tom zitten gebroederlijk samen in één team. Als ze bij Hanna verblijven heeft zij dienst, en hoeft Tom helemaal niets; in de andere weken laat hij het afhangen van tijdstip, afstand en weer of hij komt of niet. Ik moet mij zo eerlijk mogelijk verdelen, met Willem op honderd kilometer afstand. Nauwkeurig houden de kinderen de stand bij: waar keek ze het laatst en hoe vaak heeft ze dit seizoen bij broer of zus gekeken? Minstens eenmaal per maand hebben ze recht op publiek, vinden zij. Dat ik jongensvoetbal in mijn hart veel leuker vind dan meisjesvoetbal, dat je daar veel beter kunt schreeuwen aan de kant, dat ik meisjesvoetbal zo sloom vind en dat ik mij zo erger aan het gezeur bij elk pijntje, mag ik niet zeggen. Want dat is seksistisch. En dat ik liever naar goed voetbal kijk in een selectieteam dan naar een matig team, is ook niet aardig. Kwart voor acht verzamelen mag ik gelukkig wel te vroeg vinden en barre vrieskou hoef ik ook niet te trotseren, maar in alle andere gevallen word ik toch bij minimaal één kind verwacht. Soms concludeert iemand zelfs stralend dat het mij deze week zal lukken om twee, of maar liefst drie wedstrijden achter elkaar te volgen. De enkele keer dat Tom bij mijn kinderen komt kijken, meestal bij het selectieteam, wordt beschouwd als een cadeautje. Op hem rust wat hen betreft geen enkele morele plicht. Sophie speelt morgen 'thuis' en ze heeft haar kansen dus aardig goed ingeschat. 'Ja lieverd,' zeg ik moederlijk, 'morgen kom ik bij jou. Hoe laat moet je spelen?' Ze kijkt op de lijst en grijnst vervolgens wat ongemakkelijk, alsof ze haar kans alsnog verkeken acht: 'Acht uur verzamelen.' Het is bijna winter en er is natte sneeuw voorspeld; ik sla theatraal mijn ogen ten hemel: 'Nee, hè?!' Aarzelend kijkt ze me aan: 'Kom je wel?' Ik voel mij een buitengewoon geweldige moeder als ik liefdevol antwoord: 'Natuurlijk, dat heb ik toch gezegd?' Meteen grap ik erachteraan: 'Maar aangezien ik dan voor jou in de natte sneeuw sta, wil ik wel een doelpunt van je zien!' Sophie lacht en verdwijnt naar boven om alle voetbalspullen vast klaar te leggen. Tom kijkt me medelijdend aan: 'Wat vervelend voor je, zo vroeg.' En hij lacht erachteraan: 'Vanavond dus maar vroeg naar bed, want van vrijen komt morgenochtend niets!'

Juridische Zaken: (Stief)ouderlijk Gezag

Adoptie

Een stiefouder heeft in beginsel geen ouderlijk gezag en kan daarom bijvoorbeeld ook geen toestemming geven voor een operatie in een ziekenhuis als de biologische ouder afwezig is. In uitzonderlijke gevallen is daar wat aan te doen als je dat per se wilt en als je aan de wettelijke voorwaarden voldoet. Als niet-ouder kun je het kind van je partner **adopteren**, maar dat is niet eenvoudig: alle juridische familiebanden met de eventueel aanwezige oorspronkelijke ouder worden dan doorgesneden, en dat gebeurt alleen onder strikte voorwaarden. Het is ook nog mogelijk, en eenvoudiger, dat de biologische ouder de stiefouder middels een schriftelijke verklaring machtigt om namens hem of haar op te treden.

Gezamenlijk gezag

Iets minder ingrijpend is de keuze om de rechter te vragen om **gezamenlijk gezag** voor ouder en niet-ouder. Alleen de echte ouder kan dat verzoek indienen, en als dit verzoek wordt ingewilligd, krijgen ouder en niet-ouder dezelfde verantwoordelijkheid voor de verzorging en opvoeding van het kind. Het is dan ook mogelijk om de achternaam van het kind te laten wijzigen in die van de ouder of de niet-ouder. Natuurlijk lukt het in het geval van een heteroseksueel stiefgezin alleen als de tweede biologische ouder van het kind geen ouderlijk gezag (meer) heeft.

11

VERWIJTEN EN

VERDENKINGEN

In alle gezinnen zijn er onzekerheden en problemen. Maar
in stiefgezinnen liggen alle onzekerheden en problemen
onder een vergrootglas. (...) De oorzaak hiervan kunnen we
mogelijk vinden in het feit dat het incasseringsvermogen van
de stiefouder niet zo groot is als van de natuurlijke ouder door
het ontbreken van de bloedband. Onder dat vergrootglas kun
je elkaar nog harder raken en kan het kind nog effectiever
wegrennen (er is immers nog een onderdak). Alles is groter:
liefde en haat, rivaliteit en strijd om de aandacht, onzekerheid
en het zoeken naar eigen identiteit.

Uit: *Puber Tijd*, publicatie in *Stiefband* nr. 28, dec. 1999, Boukje Overgaauw.

Ik heb hoofdpijn en ben even op bed gaan liggen. In ons kleine vakantie-huisje aan zee is privacy een zeldzaam goed, en vanuit ons slaapkamertje kan ik alles volgen wat er in de woonkamer gebeurt. Het is een leuk maar veel te klein huisje voor acht personen, en nu we in de winter geen tent in de tuin kunnen zetten, zitten we veel te dicht op elkaar gepropt. We hebben geen moment met z'n tweeën, de regen slaat tegen de ramen, de zeewind giert om het huis en Tom is in een slecht humeur, zeker nu de maaltijd die hij voor ons bereid heeft niet erg enthousiast ontvangen is. Voor acht personen koken is normaal al geen genoegen, maar in de kleine keuken die hier tot onze beschikking staat is het met al die gaarkeuken-hoeveelheden bijna niet te doen. Alleen Anouk heeft de smakeloze hap nasi halverwege van zich afgeschoven, maar verder hebben alle kinderen het eten probleemloos naar binnen geschoffeld.

Steeds als we hierheen gaan, zet het hele stel zich in de modus 'gezellig' en doet iedereen zijn best. Het houtkacheltje moet aan, de kaarsjes moeten branden en er wordt urenlang gerisk, geschaakt of gekaart, wat inhoudt dat wij onafgebroken in het kindergekakel zitten. Ruzietjes over spelregels, opjuttende kreten bij sloom spel en een enkele verdenking van vals spel laten wij gelaten over ons heen komen. Hoeveel pubers zouden zich tenslotte zonder computer en zonder X-box niet demonstratief zuchtend gaan zitten vervelen? Tot meer dan één strandwandeling met de honden kun je ze in de regen moeilijk verplichten, en voetballen op een drassig veld is ook al geen lolletje.

Terwijl het eten amper op is, wordt het Riskbord weer opgesteld en ik luister vanaf ons bed tevreden naar de ontspannen kinderstemmen. Maar plotseling komt er abrupt een einde aan de rust: 'Nee Anouk, jij krijgt niet, jij hebt je bord niet leeggegeten,' hoor ik mijn geliefde op bitse toon zeggen. Uit de geluiden maak ik op dat hij snoep loopt uit te delen bij wijze van dessert en dat het halfvolle bord van Anouk dat midden tussen de Riskspullen staat hem kennelijk heftig irriteert. Anouk zit zich op haar beurt al de hele dag te vervelen en moet wel boordevol energie zitten; ze stort zich dan ook bijna dankbaar vol op de tegenaanval: 'Waar slaat dat nou op?! Ik heb gewoon geen honger meer!' Ze is zo vriendelijk om hem niet keihard op de gebrekkige kwaliteit van de maaltijd te wijzen, of misschien durft ze dat gewoon niet. Het effect van haar opstandigheid is er niet minder om: voor ik het weet slaat de vlam volkomen in de pan: eindelijk kunnen opgekropte irritaties een weg vinden. Tom raast en tiert tegen mijn kind, Anouk gilt terug en wordt steeds stoerder en de anderen houden zich stil. De strijd gaat er inmiddels om dat ze haar bord onmiddellijk moet gaan leeggooien in de vuilnisbak en dat zij vindt dat dat nog best even kan wachten: 'Ja, rústig!' klinkt haar stem schel. 'Geef je bord! Nu!' schreeuwt Tom hierop bij vergissing woedend, en zij overhandigt hem direct spottend haar bord: 'Hier heb je het dan! Doe jij het dan maar!' Alsof ze haar publiek wil imponeren met haar stoerheid, weet ze niet van ophouden: 'Ja, je zegt toch dat ik je mijn bord moet geven? Nou dan!' Ze lacht nu smalend, en er is niet veel waar je Tom woedender mee kan krijgen. 'Als je nu niet onmiddellijk dat bord leegmaakt, gooi ik je naar buiten en kom je er de hele avond niet meer in!' raast hij. Maar Anouk blijft zitten; ze zit er nu tot haar nek in en kan niet meer terug. Ik snap dat, maar Tom snapt er niets van en even later hoor ik geschuif van stoelen, 'Au!', geworstel, de voordeur, stilte.

Mijn dochter is het huis uitgezet en staat nu buiten in de regen. Binnen een seconde kook ik van woede en ik storm de woonkamer binnen: 'Oh nee! Hélemaal niet! Ben je gestoord?!' Ik stamp naar de voordeur en trek Anouk weer naar binnen, terwijl zij zich direct volop in het drama stort en hartverscheurend huilt. Hoeveel keren heb ik me in zulke situaties niet beheerst en mij buiten de strijd gehouden? Deze keer wil ik het niet. In een opwelling van blinde razernij ga ik nu eens honderd procent voor mijn kind. Ik zet mijzelf op volume 10 en scheld mijn man hartgrondig de huid vol, want ik weet het nu opeens heel zeker: hij heeft een hekel aan mijn dochter. Als kemphanen staan we tegenover elkaar – woedend zijn we, omdat het maar niet wil lukken met de volmaakte harmonie, omdat we moe zijn, omdat we doodziek worden van die regen de hele tijd, omdat we ondanks alle goede bedoelingen aldoor weer verdeeld raken in twee kampen. Geen van ons wil dit, we zijn het vechten zo beu, maar we hebben onszelf niet meer in de hand en alle opgekropte irritatie moet eruit. Op het moment dat hij in onbeheerste drift 'Kutkind!' tegen Anouk roept, heb ik het gehad. 'Ik ga naar huis,' zeg ik nu plotseling ijzig. 'Wie gaat er mee?' Het lijkt mij volkomen vanzelfsprekend dat mijn vier kinderen mij zullen volgen, wij horen tenslotte bij elkaar, maar mijn jongens kijken mij wat verbouwereerd vanachter hun Riskspel aan en zeggen niets. Helemaal niets. Ze gaan niet mee, dat is duidelijk, en ik moet moeite doen om niet in huilen uit te barsten om het verraad dat ik voel. Overlopers, denk ik dramatisch, terwijl ik met mijn dochters de spullen bij elkaar raap. Sophie gaat alleen maar mee omdat het haar zonder Anouk en mij niks aan lijkt, en ik duw het schuldgevoel over haar ongelukkige gezichtje weg terwijl ik afgemeten 'Tot gauw' tegen de vier jongens zeg. Ik kwak de spullen in de achterbak en we verdwijnen met mijn auto in het donker.

Ik voel me verschrikkelijk in de steek gelaten door Casper en Flip. 'Hoe kan dat nou, dat ze daar gewoon blijven?' snik ik volkomen onverantwoord tegen mijn verbouwereerde dochters. 'Ze horen toch bij ons?' 'Ja,' beaamt Anouk mijn onredelijkheid, 'ze hadden gewoon mee moeten gaan!' Nog geen vijf minuten later gaat mijn mobiel en gretig pak ik op, in de hoop dat Tom zal vragen of we alsjeblieft terug willen komen. 'Hoe dramatisch wou je dit allemaal maken?' vraagt hij alleen geïrriteerd, alsof hij het tegen een lastige puber heeft. Woedend druk ik mijn telefoon helemaal uit: barst maar. Terwijl de hoofdpijn bonkt op het snelle ritme van mijn hartslag, vraag ik mij inwendig af of het niet eens tijd wordt voor een scheiding.

Nooit worden mijn kinderen van hem en nimmer zal ik de behoefte voelen die van hem de mijne te noemen. En ik weet zeker dat het omgekeerd precies hetzelfde ligt, maar toch ligt onafgebroken het verwijt op de loer. Dat je best meer van je eigen kinderen mag houden dan van die van een ander, daar is iedereen het wel over eens: een beetje meer is best. Maar dat er ook nog de mogelijkheid bestaat dat je misschien wel helemaal niet van zijn kinderen zult gaan houden, of dat hij de jouwe eigenlijk helemaal niet leuk vindt, is een groot taboe. Volkomen ongevraagd en onverwacht worden jou kinderen in de schoot geworpen waar je geen familieband mee hebt, waar je geen raakvlakken mee hebt, die je geen herkenning bieden en van wie je de tekortkomingen niet lachend kunt verklaren vanuit je eigen genen, en je doet je best maar. Hij ziet de 'spitting image' van jouw ex op de bank zitten, en jij ziet een getrouwe kopie van zijn ex in jongensversie door je huis wandelen, en je wordt geacht daar warme gevoelens voor op te brengen.

Vol schuldgevoel sloeg ik in het begin van onze relatie gade hoe Tom voortdurend een hele kudde kinderen op sleeptouw nam. 'Ik ga even naar Albert Heijn; wil er nog iemand mee?' riep hij vrolijk lachend, ten volle bereid om de hele schare mee te nemen. Gewend als mijn kinderen waren aan een moeder die het liefst ongemerkt de deur uitrent, fatsoenshalve in de voordeur nog even 'Zo weer terug!' roept en overal alleen heen raast, gingen ze vaak enthousiast op zijn uitnodiging in: eindelijk inspraak in het eten! Wat een leuke vader, dacht ik beschaamd; wat hadden ze het dan toch slecht met mij getroffen. Spelletjes doen met z'n achten, kijken bij een voetbalwedstrijd van Flip, samen met Sophie naar de bakker wandelen en al haar verhalen geduldig aanhoren, met de kinderen naar het bos: ik moest me soms gewoon beheersen om niet jaloers te worden op al die aandacht die naar de kinderen ging. Niet alleen naar die van hem, maar juist naar die van mij.

Stiefmoeders tref je in vele boekjes aan, maar wat was eigenlijk het clichébeeld van een stiefvader? Ik had er geen beeld bij, maar als er al iets bij verzonnen moest worden, dan kwam ik toch vooral op een agressieve, dronken en incest plegende naarling uit. Niet op de modelvader die ik elke dag door mijn leven zag gaan. En toen, op een avond in een restaurant, tijdens een van onze kostbare kinderloze weekends, deed Tom een bekentenis: 'Ik ben bang dat ik nooit zo veel van je kinderen zal kunnen houden als van die van mij.' Heel aarzelend kwam het eruit, terwijl hij me schuldbewust aankeek. Stomverbaasd beantwoordde ik zijn blik: 'Lieve Tom, ik kan je vertellen dat ik zéker weet dat ik nooit zo veel van jouw kinderen zal gaan houden als van de mijne! Sterker nog: ik ga het niet eens proberen ook. Ik vind namelijk helemaal niet dat ik dat moet en ik vind dus ook helemáál niet dat jij dat moet. Houd vooral van je eigen kinderen, zo veel als je kunt. Ik ben allang blij als je die vier van mij er zonder ergernis bij kunt hebben.' Tot mijn ontroering zag ik opeens tranen in zijn ogen; het bleken tranen van opluchting. Er viel een zware last van zijn schouders, die hij daar geheel uit eigen beweging op had gelegd.

Wie de moeite neemt de vele internetsites te bezoeken die wat te vertellen hebben over het stiefouderschap, valt op dat ze allemaal hetzelfde zeggen. Niet alleen in grote lijnen, maar vaak ook letterlijk: men papegaait elkaar lustig en zonder enige gêne na. Slechts weinigen hebben werkelijk kijk op het stiefouderbestaan, en het is eenvoudig te achterhalen waar de meeste bronnen hun informatie vandaan hebben gehaald.[16] Omdat iedereen dezelfde bronnen gebruikt, kom je ook overal dezelfde informatie tegen, en hetzelfde beeld. Stiefmoeders zijn huiselijke, verzorgende types met de beste bedoelingen en stiefvaders waren vroeger wel autoritair, maar lijken nu meer op onhandige maar goedbedoelende sukkels die in een voortdurend loyaliteitsconflict leven waar het gaat om de aandacht voor eigen kinderen en stiefkinderen. Stiefmoeders zetten hun beste beentje voor, willen zo dicht mogelijk in de buurt komen van een echte moeder, en gaan daardoor voortdurend op hun gezicht, al was het maar door de hooggespannen verwachtingen die hun partners van ze hebben.

Hoe geëmancipeerd we ook met z'n allen zijn: het stiefgezin lijkt in al die bronnen een bolwerk van archaïsche verhoudingen, van ouderwetse rolpatronen en verwachtingen uit de negentiende eeuw. Om dit beeld kracht bij te zetten, voegt elke bron een paar 'ervaringsdeskundigen' toe, die zo op het eerste gezicht allemaal uit de generatie van mijn moeder lijken te komen en vermoedelijk allemaal een abonnement op *Libelle* hebben. Zo kom je ook te pas en te onpas de 'valkuilen voor stiefmoeders' tegen: een lijstje van domme dingen die je als stiefmoeder beter kunt nalaten. Al die domme dingen getuigen weer van de goede wil van het arme mens, dat maar niet begrepen wordt, dat veel te veel haar best doet om er een gewoon gezinnetje van te maken, dat iedereen overlaadt met liefde en er veel te weinig voor terugkrijgt. Bijna jaloers is ze op de biologische moeder; wat zou ze graag net zo 'echt' willen zijn als zij.

---

16 Ietje Heybroek-Hessels, therapeute en schrijfster van bijvoorbeeld het boek *Samen gesteld*, wordt op vele plekken letterlijk en veelal zonder bronvermelding geciteerd. Tilly Draaisma promoveerde op het onderwerp en wordt nogal eens aangehaald (wel met bronvermelding).

Ik herken er niets in. Helemaal niets. Ik ben zeer gelukkig met het bestaan van Hanna en gun haar van harte alle liefde die haar kinderen aan haar kwijt willen en bij voorkeur ook alle zorgen, alle angsten en al het verantwoordelijkheidsgevoel dat nodig is om ze heelhuids te laten opgroeien. Hoe minder echt hoe beter, wat mij betreft. Ik zit al genoeg in angst over mijn eigen kinderen en maak me volgens mij al ruimschoots voldoende zorgen in het leven. Vanaf het moment dat Tom en ik elkaar in de ogen keken en elkaar ruiterlijk toegaven dat we nooit de liefde voor elkaars kinderen zouden kunnen opbrengen die we voor onze eigen nakomelingen koesteren, leek de weg dan ook geëffend voor een harmonieus bestaan. Bij ons geen hooggespannen verwachtingen en weinig realistische uitgangspunten; wij sprongen met gemak over al die valkuilen heen. Zijn kinderen waren voor hem, de mijne voor mij. Twee éénoudergezinnen onder één dak; meer zouden we nooit kunnen worden. Twee gezinnen die het prima met elkaar zouden kunnen vinden, twee gezinnen die rekening met elkaar zouden houden en voor wie gelijke regels zouden gelden, maar nooit een écht geheel. En dat was niet erg, glimlachten wij achter ons glas wijn. Want we wisten het nu: je mag heus meer van je eigen kinderen houden.

Maar hoeveel meer is dat? En wat moet je met dat surplus aan liefde, hoe breng je die in praktijk en hoe open ben je daarin? Verreweg het lastigste in het stiefmoederbestaan is de worsteling met je gevoel. Er zitten kinderen in je huis en die zijn niet van jou; op het moment dat ze binnenkomen heb je niets anders met ze gemeen dan de liefde voor hun vader. Dat schept echter geen band – integendeel. Kinderen zien liefde als een soort koek, las ik ergens, en die kan dus op. Als jij als hun nieuwe stiefmoeder een flink stuk krijgt, en als er bovendien ook nog wat naar de nieuwe stiefbroers en -zussen gaat, blijft er voor hen minder over en dat geeft aanleiding tot jaloezie. Ik geloof niet dat kinderen zo denken; ook domme kinderen niet. Hebben ze tenslotte niet altijd in de veronderstelling geleefd dat ook hun moeder een flink deel van de koek kreeg? Dat stuk kan toch gerust worden overgeheveld naar een andere mevrouw? Liefde kan bovendien niet op, weet ieder verstandig mens en ervaart ook elk kind. Geen moment tijdens de zwangerschap van mijn vierde kind ben ik dan ook bang geweest dat de koek bij de geboorte op zou blijken.
Maar liefde is ook aandacht; iemand die van je houdt, geeft je tijd. En tijd is wel degelijk een koek die op kan. Een vierde kind krijgt minder aandacht dan een eerste kind, en een man met kinderen heeft minder tijd voor je dan een alleenstaande geliefde. Gaat het bovendien om een vader met een schuldgevoel, dan souperen zijn kinderen weliswaar niet

zijn liefde, maar wel een flink stuk van zijn tijd op. Word je in je nieuwe romance voor je gevoel aldoor aan de kant geduwd door je stiefkinderen, moet je voor die jongens of meisjes aldoor weer aandacht inleveren, dan is het verrekte lastig om tegelijkertijd warme gevoelens voor ze te ontwikkelen. Mijn verstand redt zich best: dat begrijpt heus wel dat die kinderen hier ook niet om gevraagd hebben, dat het objectief beschouwd hartstikke aardige jongens zijn en dat zij op hun beurt ook een hoop aandacht van hun verliefde vader hebben moeten inleveren. En ik kan ook tellen, en weet dus ook dat ik met twee parttime stiefkinderen nog heel wat beter af ben dan mijn man met vier fulltimers erbij. De tijd die ik voor mijn geliefde kan vrijmaken is door hun aanwezigheid beperkt, terwijl ik me andersom net zo schuldig voel door alle aandacht die zij moeten missen sinds ik een geliefde heb.

Maar met dat schuldgevoel kun je niet veel. De enige die je nog wel een beetje minder aandacht kunt geven ten gunste van anderen, ben je zelf. Terwijl je je uitsloft om enerzijds de geduldige en behulpzame moeder te blijven die je wilt zijn en anderzijds de aantrekkelijke geliefde waar je man zo dol op is, verwaarloos je al snel jezelf. Tijd om iets leuks met vriendinnen te doen gun je jezelf amper nog, en als je eens de stad in gaat voor nieuwe kleren kom je in plaats daarvan steevast met iets leuks voor man of kinderen thuis. Op vriendinnen, moeder en zus die je vertellen dat je toch vooral je ouwe chaotische en kribbige zelf moet kunnen blijven, en dat je eeuwige schuldgevoel nergens op slaat omdat je in dat enorme gezin toch vooral jezelf tekortdoet, reageer je geïrriteerd: ze hebben geen idee waar ze het over hebben. Gevoelens van ergernis, van jaloezie, van heimwee naar vroeger en zelfs woede beheers je kundig en slik je in. Maar emoties waar je last van hebt en die er niet uit mogen, hebben de hinderlijke gewoonte zich een weg te vreten in je hersenen en zich daar tot nader order te nestelen. Ergernissen die je keurig onder controle hebt en binnenhoudt, blazen zich op, verdringen elkaar in je hoofd en zoeken uiteindelijk toch een weg naar buiten. Zo tactvol mogelijk breng je een kwestie ter sprake die je dwars blijft zitten en voor je het weet knalt het en zit je midden in een dramatische scène.

Misschien komt het doordat ik vier bronnen van ergernis inbreng en Tom maar twee, maar bij hem knalt het sneller dan bij mij. Er lijkt in zijn hersenen ook minder opslagruimte voor irritatie, en in zijn aard zit minder zelfbeheersing dan in de mijne. Maar daar staat dan weer tegenover dat mijn ergernissen groter zijn, en vooral veel langer houdbaar. Want hoe klein de ergernis ook: hij kan enorme proporties aannemen mits hij een goede voedingsbodem heeft en je hem op de juiste manier behandelt. Zeg niets, slik hem in en zet hem vervolgens goed vast op een gemakkelijk terug te vinden plek zodat hij direct voorhanden is als je hem nodig hebt. Zoek bovendien verbanden tussen de opgeslagen ergernissen en koppel ze aan elkaar tot grote gehelen, zodat je echt wat hebt voor het geval de nood aan de man komt. En wacht. Wacht tot je wordt aangevallen, of tot je je alleen maar aangevallen voelt, en gooi je geliefde de grootste of meest recente kluit ergernissen genadeloos voor de voeten. 'Verdriet kun je inslikken, maar het verlaat nooit je lichaam,' las ik ooit op een poster toen ik gehaast door de stad scheurde. Hetzelfde geldt voor ergernis.

Voer voor kleine ergernissen is in een stiefgezin overvloedig aanwezig, en de neiging om grote conclusies te trekken is moeilijk te beteugelen. Zie je dat je stiefkind een groter stuk taart krijgt dan je eigen kind, dan ligt de conclusie voor de hand: je hebt een kinderachtige man want hij trekt zijn eigen kind voor het oog van de hele wereld voor. Scheldt hij op je dochter omdat ze haar rotzooi niet wil opruimen, dan weet je het zeker: hij heeft een hekel aan haar en probeert haar zo snel mogelijk op kamers te jagen omdat hij jaloers is op de aandacht die ze krijgt. Moppert hij omdat je kinderen hun afwas nooit in de afwasmachine zetten, dan bedoelt hij eigenlijk dat je een slechte moeder bent die haar kinderen niet fatsoenlijk heeft opgevoed; koopt hij spruitjes voor het eten, dan gaat hij zonder pardon volkomen voorbij aan je zoon die daar zo'n hekel aan heeft. Omgekeerd doet hij precies hetzelfde: maak je een grapje over de eetlust van zijn zoon, dan bedoel je als moeder van vier sprinkhanerige kinderen natuurlijk dat je hem te dik vindt en dan laat je de arme jongen dus niet in zijn waarde; bak je pannenkoeken als hij en zijn kinderen er niet zijn, dan probeer je natuurlijk een feestje van het leven te maken zodra je met je kinderen 'onder ons' bent; roep je geërgerd dat hij niet altijd moet willen dat alles op zijn manier gaat, dan wil je natuurlijk eigenlijk vertellen dat je aan een echtscheiding toe bent. En soms is dat ook zo. Want je was in je verliefdheid geen moment voorbereid op al die frustratie en al die ergernis, en soms verlang je opeens heftig naar de rust van de eenzaamheid.

Het zal niet alleen in ons stiefgezin zo zijn dat het leven bij vlagen aan elkaar hangt van verwijten en verdachtmakingen. Dat komt ongetwijfeld voort uit enerzijds een grote onzekerheid over de kans van slagen en anderzijds de heftige wil om er een succes van te maken. Twee op de drie stiefgezinnen vallen weer uit elkaar, en daar wil je niet bij horen. Dus alles wat het succes in de weg staat of lijkt te staan, roept enorme ergernis op.

Je hebt allebei al een scheiding achter de rug, je hebt allebei je kinderen al eens moeten opvangen, je bent allebei teleurgesteld geraakt in het leven en in de liefde en nu, in de herkansing, moet alles goed gaan. Maar dan ook echt alles. De romantiek moet van je relatie blijven afspatten zoals in de eerste maanden en je seksleven moet onverminderd heftig blijven, ook al heb je allebei een drukke baan, ben je gewoon de jongste niet meer en heb je de zorg voor zes kinderen en een flinke hypotheek. Je moet te allen tijde goed kunnen praten, veel kunnen lachen, je vrijheid behouden en volkomen je gang kunnen gaan, en een luisterend oor vinden als je daar behoefte aan hebt, in een situatie waarin je door de aanwezigheid van kinderen onbedoeld en onwillekeurig voortdurend in twee kampen verdeeld raakt. Zodra er conflicten in huis zijn, splitst het gezin zich als de Rode Zee voor Mozes. Casper en Max hebben ruzie, en hup, daar gaan we. Met enige moeite weet je verstand zich nog wel onpartijdig op te stellen, maar je gevoel laat je in dat opzicht hopeloos in de steek en het kost bakken energie om dat gevoel niet te uiten. Vooral Flip lijkt een antenne te hebben die mijn signalen zeer secuur opvangt. Loop ik mij in stilte te ergeren aan David omdat hij in mijn ogen veel te veel aandacht van zijn vader vraagt, dan merkt Flip even later terloops op dat David áltijd op de stoel van Tom gaat zitten zodra die er niet is, of dat hij nóóit van zijn vaders zijde wijkt bij een strandwandeling.

Steeds weer moet ik de verleiding weerstaan om stiekem met mijn kinderen te roddelen over Tom en zijn jongens, en soms lukt me dat ook niet. Want niemand anders dan zij maken het reilen en zeilen van ons gezin van zo dichtbij mee, en ik weet zeker dat we samen veel dingen onbegrijpelijk of irritant vinden. Het kost moeite om niet als vanouds met mijn kroost samen te spannen. Niet tegen de wereld, niet tegen een stomme juf op school of tegen hinderlijke buren, maar tegen de drie gezinsleden die na al die tijd nog steeds als 'nieuw' voelen.

Het is zo oermenselijk, zelfs dierlijk, om jezelf en je eigen bloed voorrang te geven. Ieder moederdier voedt haar eigen kinderen zo goed zij kan, en ze zal het niet in haar hoofd halen ook wat af te staan aan die van een collega-moeder verderop. Geen merel brengt hartelijk een worm langs in het nest van een koolmees. Maar de mens onderscheidt zich nu juist van het dier door de rede en de daarmee gepaard gaande redelijkheid. Als je toch te veel wormen hebt en de babymereltjes hebben geen honger meer, waarom zou je de koolmeesjes dan niet wat gunnen? Bij een vogelmoeder komt die gedachte niet op, omdat zij nu eenmaal niet denkt. Maar wij mensen doen dat wel en onzelfzuchtigheid is mooi, hebben we met z'n allen besloten. Het is dus ook mooi als je de kinderen van een ander in je hart weet te sluiten en sommige stiefmoeders slaan daarin zodanig door, dat ze eerst de stiefkinderen een lekkere vette worm geven om niet de verdenking op zich te laden dat het eigen bloed eerst komt. Dat neemt het eigen bloed haar natuurlijk niet in dank af, want dat eigen bloed komt nu eenmaal graag op de eerste plaats. En terecht.

De vraag in een stiefgezin is alleen: hoe ver van die eerste plaats komt de tweede plaats? Stiefmoeders in sprookjes laten er gapende kloven tussen vallen, maar in onze tijd kom je daar niet meer mee weg. En we willen die kloof ook helemaal niet. We gunnen onze stiefkinderen al het goeds van de wereld, maar onze eigen kinderen nét even iets meer op momenten dat er een keuze gemaakt moet worden. Dat is de natuur en daar begin je niets tegen. In ons gezin hebben we het gegeven direct duidelijk op tafel gelegd, om jaloezie en schuldgevoel bij voorbaat te vermijden: geneer je niet als je je eigen broer meer gunt of als je een probleem liever met je eigen moeder bespreekt. Je hoeft niet te voelen wat je niet voelt: liefde kun je niet dwingen. Geen probleem, riepen wij stoer en begripvol, we doen allemaal gewoon ons best. Alsof niet vrijwel elke ruzie tussen en Tom en mij juist over de verschillen in behandeling en omgang ging: eigen kinderen versus stiefkinderen. 'Waarom stuur jij de kinderen altijd veel later naar boven als die van jou er ook bij zijn?', 'Waarom koop jij altijd pas lekkere toetjes als mijn kinderen weer weg zijn?', 'Waarom geloof je niet wat David zegt en neem je zomaar aan dat Casper de waarheid spreekt?', 'Waarom moet Anouk nou alwéér de afwasmachine uitpakken?' Het verstand werkt uitstekend, maar het gevoel kan bijzonder kinderachtig zijn.

We zitten in restaurant New York, in Rotterdam. We hebben er vanmiddag een flinke smak airmiles doorheen gejast in dierentuin Blijdorp en vinden dat we na dit 'gratis' uitje wel wat lekkers verdiend hebben. 'We hebben een nieuwtje,' zegt Tom nadat we geproost hebben op de gezellige dag. Ik trek mijn wenkbrauwen op in verbazing: waar heeft de man het over? 'Je boek,' fluistert Tom glimlachend. Ach ja, dat is waar ook, dat zou ik de kinderen vandaag voorleggen. Ik vertel ze dat ik van plan ben een boek te gaan schrijven over ons gezin en wil graag weten wat ze ervan vinden. De kinderen reageren tot mijn opluchting zeer enthousiast; het idee dat ons leven in een heus boek zal belanden spreekt ze zeer aan, en ze willen er best onder hun eigen naam in – dat is zelfs wel leuk! 'M'n vrienden lezen zo'n boek toch heus niet,' haalt David zijn schouders op. Maar Sophie denkt daar direct heel anders over: de slimme ogen in haar spitse gezichtje spuwen opeens vuur: 'Ik ga écht niet met mijn eigen naam in een boek, hoor! Echt niet!!' Ik moet lachen om de felheid en zeg dat ik toch al van plan was om andere namen te gebruiken. David is opeens een beetje in gedachten verzonken, en ik vraag hem wat er is. 'Komt mama er ook in voor?' vraagt hij wat bedeesd. 'Ja, dat wel, daar kan ik niet omheen, maar natuurlijk ook onder een andere naam en niet veel, hoor. En ik geef natuurlijk ook helemaal geen details over de rechtszaak.' Hij lacht opgelucht; dat klinkt geruststellend, maar voor de zekerheid vraagt hij toch nog even of ik haar toestemming moet vragen om over haar te mogen vertellen. Nee, dat hoeft niet.

We praten verder over ons gezin: hoe vinden jullie het nu gaan, nu we een paar jaar samen zijn? Hoe voelt het, zo'n stiefgezin? De puber die op zo'n vraag spontaan een verhandeling begint moet nog geboren worden, dus meer dan een paar vriendelijke gemompelde opmerkingen komt er niet: alles in orde wat de aanwezigen betreft. In een opwelling houd ik een rondvraag: 'Stel je voor dat je op school zit, en de rector komt naar je toe met de mededeling: "Je oudste broer ligt in het ziekenhuis." Aan wie denk je dan?' We gaan zo het hele gezin af, en tot mijn grote verbazing, én ontroering, ziet vrijwel het hele stel elkaar als broers en zussen. De oudste broer in het ziekenhuis is natuurlijk David, zeggen ze allemaal. Alleen Sophie aarzelt nog; zij denkt toch dat ze eerder aan Casper zou denken, haar échte broer. Het 'jongste broertje', dat is voor iedereen Flip. Tom lacht ontroerd naar me: is dat nou niet prachtig? 'Ik moet jullie wel eerlijk zeggen,' gooi ik nu enigszins roet in het roze eten, 'dat ik daar anders in sta. Als iemand mij vertelt dat mijn oudste zoon in het ziekenhuis ligt, denk ik volautomatisch aan Casper.' Ik kijk naar David en Max: 'Jullie zijn mijn stiefzoons, en dat voelt voor mij toch anders.' David lijkt wel opgelucht. Hij grijnst wat verlegen en zegt: 'Als iemand mij vertelt dat mijn moeder in het ziekenhuis ligt, denk ik ook niet aan jou.' Ik lach hem bemoedigend toe: 'Natuurlijk niet, dan denk je aan Hanna, dat is logisch.' We bestellen nog een witte wijn en voor deze ene keer mogen ze allemaal een tweede rondje frisdrank.

Vervolg van bladzijde 73

Mijn reactie op de top tien van 'aandachtspunten voor stiefgezinnen'

(Deze top tien is samengesteld door Ietje Heybroek-Hessels, in: *Samen Gesteld – de dynamiek van het stiefgezin*, 2004.)

6. Je hoeft niet en kunt van je stiefkinderen niet net zo veel houden als van je eigen kinderen. Je liefde voor de stiefkinderen kan groeien.

Dat kan ja, maar dat hoeft niet. Als je gaat zitten wachten tot je eindelijk liefde voelt voor je stiefkinderen, kun je bedrogen uitkomen en het gevoel hebben dat je faalt. Of dat het nare kinderen zijn van wie kennelijk niet gemakkelijk te houden is. Het moet in je aard en binnen je mogelijkheden liggen om van een kind van een ander te gaan houden. Sympathie kan voldoende zijn, en hoe minder hoog de eisen die je aan jezelf stelt, hoe groter de kans dat je die sympathie (uiteindelijk) ook zult kunnen opbrengen. In de liefde voor je stiefkinderen zul je toch nóóit op één lijn kunnen komen met je partner, dus streef daar gewoon ook niet naar.

7. Probeer het gedrag van het dwarsliggende kind te zien als uiting van zijn/haar moeite met de nieuwe situatie en niet als een persoonlijke aanval tegen jou. Het kind voelt zich onmachtig om op een goede manier om te gaan met alle veranderingen.

Een vrijbrief voor lastige kinderen. Een dwarsliggend kind kan ook gewoon een dwarsliggend kind zijn. Of een jaloers kind, of een puber die op school gepest wordt en zich thuis afreageert, of een huistiran in de dop, of een verwend kreng. Niet alleen stiefkinderen zijn tenslotte lastig. Inlevingsvermogen is mooi, maar dat wil niet zeggen dat zo'n kind uitsluitend met begrip en geduld bejegend moet worden. Een dwarsliggend kind kan zichzelf wel de missie hebben opgelegd om jou zo snel mogelijk uit zijn leven te verjagen. Daar kunnen vele redenen voor zijn (bijvoorbeeld om zijn eigen moeder een plezier te doen), en het is van groot belang dat het kind de ruimte voelt om open te zijn. Hij heeft in zijn nieuwe situatie op z'n minst recht op interesse in de vraag waar zijn gedrag vandaan komt. Zowel van de kant van de ouder als die van de stiefouder.

8. Bedenk: stiefouders en stiefkinderen zijn overgevoelig. Ze betrekken veel op zichzelf.

Nooit zouden stiefouder en stiefkinderen met elkaar door het leven zijn gegaan als beide partijen geen band hadden met één en dezelfde persoon. Voor de stiefmoeder is het de nieuwe liefde in haar leven, de man waar ze alle hoop op gevestigd heeft voor de toekomst, en voor de stiefkinderen gaat het om hun vader (of in het omgekeerde geval om hun moeder). En beide partijen willen van die ene persoon zo veel mogelijk liefde voor zichzelf. Want met de andere partij hebben ze voor hun gevoel, zeker in eerste instantie, niet zo veel te maken. Dat maakt de ander tot een belangrijke concurrent, en het is nu eenmaal niet eenvoudig om met de concurrentie onder één dak te leven. Je kunt je dat wel bedenken, maar je kunt er verder niet zo veel mee. Van de volwassene wordt de meeste wijsheid verwacht, en die kan wel eens verschrikkelijk moeilijk op te brengen zijn.

Wordt vervolgd op bladzijde 159

12

STRESS BIJ HET HOF

Als alle gezinsleden gestrest zijn, wat in stiefgezinnen nogal
eens voorkomt, kun je je voorstellen dat men door elkaars
stressverschijnselen nog gestrester wordt.

Uit: *Puber Tijd*, publicatie in *Stiefband* nr. 28, december 1999, Boukje Overgaauw.

In de auto zwijgen we, terwijl ik me concentreer op het ochtendverkeer op de A2. Net als altijd stel ik me weer voor hoe mensen schaterend van het lachen achter de knopjes zitten en de verlichting boven de weg bedienen: 'Let op,' grinnikt de lolbroek van de ochtend, en hij drukt op het knopje 50 voor de A2. Prompt trapt iedereen op de rem en er ontstaat even een file, terwijl de knopjesman zich op de dijen slaat van de pret en snel een ander knopje indrukt: 70 nu. Het gaspedaal kan weer voorzichtig worden ingedrukt. Tom staart somber voor zich uit, alsof ik hem geheel tegen zijn wil naar de slachtbank voer. We zijn op weg naar het gerechtshof in Amsterdam, waar het hoger beroep tegen Hanna eindelijk aan de beurt is. Met de grootst mogelijke moeite ben ik erin geslaagd mijn boosheid van de afgelopen nacht opzij te zetten, terwijl ik Tom het liefst zijn hele rechtszaak in zijn gezicht gesmeten had. In de stress van het moment leek hij wel uit op een voortijdige ontlading, toen hij zijn uiterste best deed me uit de tent te lokken en een fikse ruzie te beginnen. Maar bij heftige ruzie horen in mijn geval altijd tranen, op z'n minst van woede, en voor geen goud gun ik Hanna straks bij het gerechtshof de aanblik van bolle, rode ogen. Wij hebben het leven tenslotte geheel onder controle.
Terwijl ik geïrriteerd raak door het voortdurend remmen en optrekken van weggebruikers, probeert de ingehouden boosheid zich alsnog onophoudelijk aan mij op te dringen en wordt er treiterend aan mijn geduld geknaagd. Ik heb geen zin meer in opbeurende teksten en geruststellende woorden; het is nu de beurt aan de advocaat. Het kan me niet schelen wat de uitspraak zal zijn, als we eindelijk maar eens verder kunnen met ons leven. Advocaten die doelbewust ouders tegen elkaar opzetten om er zo

veel mogelijk geld aan te verdienen: ik kots er zo langzamerhand op. Tom heeft na de eerste rechtszaak bovendien het idee opgevat dat de rechtspraak in Nederland louter beoefend wordt door archaïsche figuren die volautomatisch voor de moeder gaan en alles klakkeloos geloven wat het arme mens vertelt, en hij lust ze rauw, die rechters in hun stomme zwarte jurken. Maar hij zal zich geheel tegen zijn vechtlust in juist van zijn meest positieve, geduldige, voor rede vatbare en goede vaderkant moeten laten zien, en dat zal niet meevallen. Omdat ik hem geen reden wil geven voor het verwijt achteraf dat ik hem in de steek gelaten heb, beheers ik mijn slechte humeur, maar veel meer dan zwijgen en af en toe een bemoedigende glimlach kan ik op dit moment ook niet opbrengen.

Als we veel te vroeg in Amsterdam zijn, doordat de serieuze files waar we rekening mee hadden gehouden zich toch weer niet hebben voorgedaan, sleep ik mijn somber ogende man voor een broodje mee naar het Américain. Ook in mijn buik rommelen nu de zenuwen, want tot mijn verbazing heeft het gerechtshof ook mij gesommeerd te verschijnen bij de zitting, terwijl ik in de veronderstelling verkeerde dat stiefmoeders er niet toe doen.

Dat blijkt ook zo te zijn. Als Tom en Hanna wordt gevraagd binnen te komen, krijg ik op afgemeten toon het verzoek om te blijven zitten op mijn houten bankje op de gang. 'Misschien hebben de rechters u nog nodig, en dan wordt u geroepen, dus gaat u niet weg,' zegt een man in strak pak wat nurks alsof het nog maar zeer de vraag is of ik de eer wel verdien om voor de hoge heren te verschijnen. Vanaf het moment dat ik niet meer weg mag lopen, moet ik natuurlijk heftig plassen. Je moet komen, je moet vrij nemen van je werk, maar het kan zijn dat dat nergens voor nodig is. Ik heb nog wel zo zorgvuldig nagedacht over mijn verschijning: niet te frivool maar wel verzorgd, geen dure kleren, en met de degelijke uitstraling van een goede moeder en verantwoordelijk mens natuurlijk. En daar zit ik dan in mijn doordachte outfit, met mijn billen op koud hout, met een protesterende en zich heftig aanstellende blaas, in een grote holle gang waar voetstappen alarmerend klinken op de granieten vloer en waar ramen zo hoog zitten dat je er niet uit kunt kijken. Van buiten betraden we een indrukwekkend grachtenpand, binnen voelt het alsof ik op een ouderwets strenge basisschool de klas uitgestuurd ben en nu geacht word mijn zonden te overdenken.

Opeens zwaait de deur open; de zitting is nog geen kwartier bezig. Ik ga rechtop zitten en duw nog snel een lok haar achter mijn oor, in de volledige overtuiging dat ik nu mijn entree zal gaan maken. Maar niets is

minder waar: tot mijn grote verbazing staan Tom en Hanna in het gezelschap van hun advocaten alweer op de gang: 'Klaar,' zegt Tom een beetje
onnozel grijnzend. Klaar? Hoezo? Het meerkoppige hof heeft in zijn
oneindige wijsheid bedacht dat deze twee mensen, na jarenlange strijd
en een half jaar wachten op hun hoger beroep, maar weer eens naar
een mediator moeten. En zou Tom daar niet mee akkoord gegaan zijn,
voegt zijn advocaat onheilspellend aan het verhaal toe, dan was zijn zaak
ábsolúút verloren geweest. Het hof heeft zichzelf voorlopig weer even
ontheven van de plicht om een uitspraak te doen, kan vroeg naar huis en
wrijft zich vergenoegd in de handen, terwijl twee dolende mensen terug
naar het strijdperk verwezen zijn. Twee ouders, van een paar volkomen
onschuldige en aardige jongens, krijgen na al dat wachten nog altijd geen
helderheid en kunnen nog steeds niet verder met hun leven. Drie jaar na
de scheiding alsnog verwezen, voor de tweede keer al, naar een bemiddelaar die vriendelijk glimlachend grof geld aan ze zal verdienen zonder dat
het iets zal opleveren. Mijn mond valt open, en terwijl Hanna en Tom zich
braaf over een lijst met mediators buigen en ik mij afwend, voel ik kol-
kende drift door mijn aderen stromen. 'Je moet Tom wel steunen, hoor,'
zegt zijn advocaat opeens als hij mijn boze gezicht ziet. Hoe haalt hij het
in zijn hoofd om zoiets tegen me te zeggen? De vernietigende blik die ik
de duur betaalde man toewerp spreekt voor zichzelf. Niets bereikt heeft
hij, helemaal niets. Waarom verdient een advocaat in Nederland niet wat
meer aan een rechtszaak als hij hem wint, vraag ik mij zuur af. Ik ben hier
niet degene die Tom in de kou laat staan.

In alle echtscheidingen die ik om mij heen gezien heb, en dat zijn er
nogal wat, is het patroon gelijk: nergens sprake van een acute situatie van
mishandeling of geweld, en nergens iemand die uit het ouderlijk gezag is
gezet. Een van beide ouders zwengelt de scheiding aan, om wat voor reden
dan ook, voelt zich vervolgens schuldig en wil het hele gedoe zo snel mogelijk achter de rug hebben. Meer dan ooit is er de bereidheid om water
bij veeleisende wijn te doen en de ander vaart daar wel bij; afspraken zijn
snel gemaakt en vastgelegd. De eerste periode daarna doen beide ouders
hun best de afspraken zo goed mogelijk na te komen, al was het maar uit
het gevoel van opluchting dat de hele rottige periode voorafgaand aan de
daadwerkelijke breuk eindelijk voorbij is. Niets zo ongemakkelijk tenslotte
als onder het toeziend oog van de kinderen in één huis samenleven met je
toekomstige ex.
'Ik heb eens even gerekend,' zei mijn Willem op een avond bijna hilarisch
plechtig voor iemand die zich nooit met geld bezighield, 'maar als we zo

doorgaan hebben we later samen een aardig pensioen.' Verbaasd keek ik op van mijn krant: 'Later? We gaan scheiden, Willem.' Geïrriteerd haalde hij zijn schouders op, alsof ik altijd maar weer op alle slakken zout legde. Op andere momenten konden we, in een raar gevoel van opwinding over het nieuwe leven dat ons te wachten stond, zelfs pret hebben over onze aanstaande eenzaamheid. Toen hij op een avond onverwacht laat thuiskwam en verheugd meedeelde dat hij voor slechts honderd gulden[17] de hand had weten te leggen op een armzalig zeilbootje, grapten we over de contactadvertenties die hij nu kon zetten: 'Aantrekkelijke jongeman, in bezit van zeiljacht, zoekt dito vrouw zonder watervrees.'

De dag waarop de scheiding een feit wordt, is voor iedereen anders, maar overal waar ik keek zag ik min of meer hetzelfde scenario: de kinderkamers worden in vrolijke opluchting gereorganiseerd en opgevrolijkt, het huis is prettig leeg en op orde en de beste beentjes gaan voor om de kinderen, met behulp van een welwillende omgeving, zo schadeloos mogelijk door deze periode heen te loodsen. Maar na de eerste, soms haast euforische periode, gaat het een andere kant op. Vader of moeder vindt een nieuwe liefde, moeder weet zich financieel toch beter te redden dan manlief gedacht had of ze bemoeit zich irritant opdringerig met zijn vaderschap en de boosheid laait op, minstens aan een van beide kanten. De redelijkheid die door het fatsoen en de opluchting werd ingegeven, maakt plaats voor gevoelens van jaloezie en afgunst, en de afspraken die gemaakt zijn en keurig op papier staan, doen opeens niet meer ter zake.

Het idee om ouders te verplichten tot een ouderschapsplan alvorens een scheiding kan worden uitgesproken, gaat hier volkomen aan voorbij. Want hoe mooi de plannen ook op papier staan: niemand kijkt na verloop van tijd nog in hoeverre men zich eigenlijk aan al die vastgelegde afspraken houdt. En het is juist de fase waarin goede bedoelingen en mooie voornemens aan laarzen worden gelapt, waarin het kind in de problemen komt. De eerste periode na de scheiding levert hem vooral nog veel aandacht en extra liefde op van alle kanten, maar daarna, als niemand meer kijkt, beginnen de problemen pas. Dan komen de loyaliteitsconflicten, de rechtszaken, de verdachtmakingen over en weer, de rotopmerkingen over elkaar, en op dat moment let geen wetgever meer op. Nu voelen niet de ouders zich schuldig, maar de kinderen. Want zij krijgen het onaangename gevoel dat het allemaal hun schuld is: als zij er niet waren hoefden die twee mensen tenslotte geen contact meer met elkaar te hebben en hoefden

---

17 € 45,-.

ze niet aldoor weer geconfronteerd te worden met hun boosheid en hun teleurstelling, hun wrok en hun jaloezie.

Ben je als stiefmoeder op dit moment al in beeld, dan kun je maar het beste een rol op je nemen waarin je emmers vol nuchtere relativering en geruststelling over je gezin heen giet. Niet eenvoudig, want je kunt je ergernis over de aanvallen van buitenaf op je gezinsleven zelf ook maar moeilijk verdragen en het liefst gooi je in opstandige buien flink olie op het vuur. Boos zijn op de ex van je man mag best, maar nooit openlijk waar de kinderen bij zijn, en dat vergt op veel momenten opperste zelf-beheersing. Boos zijn op je partner zelf is zo mogelijk nog ingewikkelder: je wilt zijn kant kiezen in de strijd die hij voert, omdat je van hem houdt, maar het is goed mogelijk dat je het inhoudelijk helemaal niet met hem eens bent. Je deelt zijn frustraties over zijn scheiding niet en voelt zijn opgekropte woede niet en kunt vaak maar moeilijk begrip opbrengen voor de strijdlustigheid waarmee hij de confrontatie aangaat. Hij wil zijn kinderen, jouw stiefkinderen, zo veel mogelijk bij zich in de buurt, terwijl jij er niets op tegen zou hebben als ze wat meer bij hun moeder waren. Internetsites waar stiefmoeders hun gram halen, hun frustraties de vrije ruimte geven en elkaar om raad vragen, worden niet voor niets druk bezocht. Alleen een stiefouder begrijpt hoe lastig de innerlijke conflicten zijn waar je dagelijks mee worstelt. Jij speelt niet in de eerste plaats een rol in het hele verhaal, jij bent niet degene met de gekwetste gevoelens, maar je hebt er wel last van en kunt amper wat doen om het tij te keren.

Heb je ondertussen zelf ook nog een jaloerse of wraakzuchtige ex en moet je ook nog eigen kinderen vrijwaren van stress, dan valt het leven zacht gezegd niet mee. Op het moment dat zelfs mijn gemakkelijke Willem de jaloezie niet langer het hoofd kan bieden, zinkt de moed me dan ook in de schoenen. Dat ik mij in mijn eentje met al die kinderen best heb kunnen redden, is voor hem misschien al een tegenvaller geweest, maar dat ik nu het geluk gevonden heb, in een leuk huis woon en zelfs het vertrouwen heb gehad om opnieuw een huwelijk aan te gaan, gaat te ver. Weg is de laconieke en gemoedelijke houding die hij aanvankelijk ten opzichte van Tom aannam, kennelijk in de veronderstelling dat het om een kortstondige romance zou gaan. Via de kinderen komen verhalen van afgunst ons huis binnen, en ik vind ze zó niet bij hun vader passen, dat ik ze in eerste instantie luchtig wegwapper: 'Ach, hij weet wel beter.'

Maar op een dag wordt het serieus, als er zelfs via mijn ex juridische stukken op de deurmat vallen. Trillend van woede overhandig ik ze aan Tom: 'Willem ook al.' Niet jaloers op een hand op mijn kont, maar nu toch op ons grotere huis en de grote auto's, terwijl hij nog altijd geen enkele neiging vertoont om vaker contact met zijn kinderen te zoeken. Dat alles bij ons groot en duur moet in verband met zes kinderen en dat we juist daarom geregeld op knetterharde houtjes bijten, is aan de buitenkant niet te zien. Willem heeft achterhaald dat stiefouders onderhoudsplichtig zijn voor alle kinderen in hun huis zodra ze formeel samenwonen of getrouwd zijn, en dat komt hem prachtig uit. In plaats van mij wat tegemoet te komen in de kosten, nu de kleuters veranderd zijn in geldverslindende pubers, heeft hij bedacht dat hij minder wil gaan betalen. Zijn kosten moeten maar voor een deel worden overgeheveld naar Tom, vindt hij. Alsof die niet al bakken geld aan mijn kinderen uitgeeft. De ontgoocheling is enorm: nooit had ik dit achter Willem gezocht, en onwillekeurig vraag ik me af wie hem hiertoe heeft aangezet. Twee rechtszaken tegelijkertijd is me te veel: het hoger beroep tegen Hanna moet nogmaals voorkomen. Maar mocht Willem me voor de rechter willen slepen, dan ben ik er zeker van dat ik sterk sta. Voorlopig kan ik een bijdrage aan de studiekosten van de kinderen tot mijn grote ergernis op mijn buik schrijven en ik kan er met mijn verstand niet bij dat hij al die jaren vrede overboord gooit voor wat geld. Voor het eerst in al die tijd kost het me grote moeite om hem bij de kinderen niet zwart te maken. Een scheiding hoeft niet dramatisch te zijn voor kinderen, zolang ouders zich maar niet verliezen in afgunst.

Tijdens een speciale themaweek over huiselijk geweld op televisie, in 2004, vertelde de VPRO zijn kijkers in alle ernst dat echtscheiding de meest voorkomende vorm van kindermishandeling is. (Licht) getraumatiseerde kinderen om deze bewering te staven en het programma mee te vullen bleken vrij eenvoudig te vinden, omdat het nu eenmaal wemelt van de kinderen met gescheiden ouders, zeker in omroepland. Met veel groter gemak echter dan het getraumatiseerde kind zijn er massa's kinderen te vinden die flierefluitend door het leven gaan na een scheiding, die zich de stortvloed van verjaardagscadeaus en vakanties maar al te graag laten welgevallen en opgewekt heen en weer pendelen tussen stiefgezin en gezin. 'Later, als jullie gescheiden zijn,' zei een vriendinnetje van Anouk ooit tegen haar moeder toen ze zeven was, in de veronderstelling dat er na 'verliefd', 'verloofd' en 'getrouwd' in elk gezin ook wel weer een 'gescheiden' komt. Nog in de goede periode van ons eerste huwelijk vielen onze monden erbij open: hoe kwam het kind aan dat beeld? Maar waar één op de drie gezinnen en zelfs twee op de drie stiefgezinnen na verloop van tijd weer uit elkaar vallen, past het niet langer om te blijven doen alsof het bij een scheiding om iets uitzonderlijk dramatisch gaat. Een echtscheiding hoort voor een heel grote massa bij het leven, en het is dan ook meer op zijn plaats om te accepteren dat de tijden veranderd zijn en de betrokkenen te voorzien van praktische informatie en begeleiding die het verloop der dingen wat kan versoepelen. Niet het feit dat beide ouders niet meer onder één dak willen leven zorgt voor het drama; het zijn de ouders die hun jaloezie en hun wrok niet kunnen bedwingen en die niet meer in staat zijn tot normale communicatie, die het kind kunnen traumatiseren.

Veel gescheiden ouders maken zichzelf graag wijs dat het beter is voor de kinderen als hun ouders uit elkaar gaan, uit de stresssituatie stappen en weer tevreden zijn met hun leven. Ook ik koesterde natuurlijk die gedachte: hoeveel fijner moest het niet voor ze zijn dat ik nu niet meer zo ongelukkig en humeurig was de hele tijd? Hoe heerlijk dat ze er nooit meer tussen hoefden te zitten als de sfeer tussen Willem en mij om te snijden was? Jammer, maar die vlieger lijkt niet helemaal op te gaan. Ooit las ik een artikel naar aanleiding van een onderzoeksverslag, waarin stond dat het een misvatting is om te denken dat kinderen liever gescheiden en tot rust gekomen ouders hebben dan ouders in een huwelijkscrisis.[18] Het is namelijk een irreële en naïeve gedachte dat kinderen hun ouders het liefst gelukkig zien; het boeit ze niet. Kinderen gaan geheel instinctief en volautomatisch voor het eigenbelang: hoe jonger ze zijn, hoe sterker ze dat doen. De meeste kinderen in het onderzoek gaven dan ook aan dat ze zich in hun leven nog het prettigst hadden gevoeld in de tijd dat het huwelijk van de ouders definitief op zijn kont lag: het was de tijd waarin vader en moeder elkaar straal negeerden, de tijd waarin tonnen aandacht, liefde én schuldgevoel naar de kinderen gingen. De relatief rustige tijd voorafgaand aan de scheiding, de tijd waarin advocaten en rechters nog geen rol speelden in hun leven.

Familierechtadvocaten spinnen nu eenmaal garen bij de strijd tussen expartners; het is hun brood. Of ze nu wel of niet hun best doen, of ze nu wel of geen resultaten boeken, of ze nu wel of niet rekening houden met kinderbelangen en kinderverdriet: de facturen die in de duur bedrukte enveloppen verstuurd worden zijn hoog. En hoe langer ze de strijd weten te rekken, hoe meer het ze oplevert. En de verliezende advocaten, de in toga gehulde figuren die niets voor je weten te bereiken, begrijpen er na afloop 'niets van'. Zo'n rare rechter hebben ze nog nooit meegemaakt, zo'n uitspraak hebben ze nooit verwacht, zo'n tegenwerking hebben ze nog

---

18 Dit onderzoeksresultaat werd ook aangehaald, zonder bronvermelding, in het artikel *Van Scheiden wordt Niemand Beter*, 1 oktober 2005 *de Volkskrant*, Aleid Truijens. Ik kan de bron (ook) niet meer achterhalen.

nooit ondervonden en zo'n rat van een advocaat heeft de tegenstander nog nooit gehad. Enthousiast raden ze je een hoger beroep aan: kost even wat extra, maar dán wordt er pas echt goed naar je zaak gekeken en dán heeft de tegenstander natuurlijk geen schijn van kans. Bij het gerechtshof zal er wél naar de bewijsstukken worden gevraagd; dáár kun je echt niet zomaar iets beweren zonder het te staven. En de rekeningen stapelen zich op en de strijd duurt voort, omdat er met de ellenlange wachttijden geen gelegenheid komt om de strijdbijl te begraven.

En al die tijd zitten de kinderen tussen hun ouders in, in de vurige hoop dat vader en moeder allebei zullen winnen en allebei gelijk zullen krijgen en allebei tevreden zullen zijn. Het is aan de kant van beide ouders tegelijkertijd een periode vol wrok, vol achterdocht en wantrouwen en vol bedoelde of onbedoelde geheimen. Zelfs als je de wat oudere kinderen niet vraagt om te zwijgen over een grote nieuwe aanschaf, of een nieuwe baan, zullen ze instinctief begrijpen dat het belang van hun vader in veel opzichten precies tegenover dat van hun moeder ligt. Een geïnteresseerde vraag over het leven bij de moeder klinkt opeens als 'uithoren' en zorgt dat de kinderen zich als een oester sluiten. De rechter kijkt bovendien mee over de schouder van elk gezinslid; het hele leven is één grote bewijsvoering geworden en de krampachtigheid die dat in een gezin geeft, is met geen pen te beschrijven. Als ik geërgerd reageer op mijn stiefzoon, zou hij wel eens aan zijn moeder kunnen vertellen dat hij mij helemaal niet aardig vindt, en dat zou de kinderbescherming en rechters misschien weer reden kunnen geven om de jongens maar bij ons weg te halen. Als Anouk op momenten van doodgewone ruzie roept dat David helemaal niet bij ons gezin hoort, dreigt wellicht hetzelfde. Alles kan tegen ons worden gebruikt, elk telefoontje kan worden vastgelegd, elke mail kan worden uitgeprint en bewaard, elk briefje is een potentieel bewijsstuk. De brieven en mails die in de tijd van de rechtszaken over en weer gaan, druipen dan ook van de beleefdheid en de welbespraaktheid, terwijl een enkel venijnig uitschietertje direct in de dossiers van de advocaten belandt. Hoe meer 'stukken' er heen en weer gestuurd 'moeten' worden, uiteraard vergezeld van begeleidende schrijvens, hoe hoger de rekeningen kunnen oplopen.

Na een bijna feestelijke lunch in de grote stad duw ik de grote deur van het statige grachtenpand van het Gerechtshof in Amsterdam voor de tweede keer in mijn leven open. Voor ons uit lopen David en Max, die nu opgeroepen zijn om ook te verschijnen voor de rechters en zichtbaar nerveus zijn. Ik speel dit keer geen enkele rol wat het hof betreft, maar ben toch meegekomen, voor de morele steun. Na een uitgebreide veiligheidscontrole staan we in de grote marmeren hal, waar onze in toga gehulde advocaat ons tegemoetkomt en hartelijk de handen van de jongens schudt. Die hebben inmiddels hun oog laten vallen op Hanna, die in een gangetje op een houten bankje zit in het gezelschap van twee zussen en zwaait. Bemoedigend glimlacht ze naar haar zoons, waarna zij op hun beurt aarzelend terugzwaaien: 'Hoi mam.' Alsof het hele tafereel zich niet voordoet, troont meneer de advocaat ons mee naar een zaaltje aan de andere kant van de grote hal en terwijl ik met de twee bedremmelde jongens door de hal loop, weet ik de ogen van Hanna op ons gericht.

Zodra we plaatsgenomen hebben en de advocaat allerlei papieren tevoorschijn haalt, knik ik naar David en Max: 'Gaan jullie nu eerst maar eens hallo tegen je moeder zeggen, het duurt toch nog een hele tijd.' Dankbaar springen ze op om vervolgens zo waardig mogelijk naar de andere kant van de hal te lopen, waar Hanna zit te wachten. Gelukkig uit ons zicht nu. In de afgelopen maanden is ze tot een papieren vijand geworden, een abstracte entiteit waar we oorlog tegen voerden met papieren argumenten en bewijsstukken, zonder dat we haar ooit in de ogen keken. De jongens gaan inmiddels zelfstandig van het ene adres naar het andere. Stukken van beide advocatenkantoren vlogen heen en weer, vol verwijten en beschuldigingen, vol cijfers en kostenposten, zonder gevoel. De mediator voegde geheel naar verwachting niets toe en nu zitten we weer bij het Hof, in de hoop dat er na al die jaren eindelijk een uitspraak zal komen. Wát voor een dan ook. We moeten verder met ons leven, de jongens moeten weten waar ze aan toe zijn.

Om de tijd te doden en vooral de jongens het gevoel te geven dat het hele gedoe eigenlijk niets voorstelt, babbelen we met een knoop in onze maag zo luchtig mogelijk met de advocaat en de jongens over niks. Omdat Hanna in de vorige rechtszaak is aangewezen als financieel verantwoordelijke ouder, heeft alleen zij de oproep gekregen waarin David en Max zijn gesommeerd te verschijnen; wij hoorden er slechts bij toeval over van de jongens zelf. Geen van beide ouders vecht de omgang aan, maar kennelijk is er toch behoefte aan het verhaal van de kinderen. David is nerveus: wat moet hij straks zeggen? 'Gewoon wat je vindt,' zeggen Tom en ik bijna tegelijkertijd. 'Ze willen van jou weten hoe je het vindt, die omgangsregeling op deze manier,' vervolg ik, 'en je moet gewoon eerlijk zijn. Niet denken aan je vader of je moeder, je niet afvragen wat die van je willen, gewoon alleen maar even aan jezelf denken, dan doe je het goed. Dat vinden je ouders ook, écht.' Tom knikt hem bemoedigend toe.

Als we er ongeveer een half uur zitten, komt de bode de beide jongens halen. Zwijgend kijken we de onzekere ruggen na: David loopt met afhangende schouders en zijn blik naar de grond gericht, Max kijkt nog eens grijnzend achterom alsof hij het maar een rare vertoning vindt en lijkt zich de ernst van de situatie helemaal niet te realiseren. Ze zullen apart ondervraagd worden: elk een kwartier. Stel je voor dat ze opeens de neiging krijgen om zielig te gaan doen en een dramatisch verhaal ophangen over de tijd dat ze het nog zo moeilijk hadden met de overgang van het ene huis naar het andere de hele tijd? Stel je voor dat ze net die ene knallende ruzie van Hanna en Tom bij onze voordeur aanhalen? Gewoon omdat het soms leuk is om zielig te zijn? Anouk zou het wel weten en haar kans grijpen voor een dramatisch verhaal. Tom knijpt zichtbaar nerveus in mijn hand en zegt niets. De advocaat haalt nog maar eens een vies kopje koffie uit de automaat, en we weten na al het gekeuvel met de jongens opeens niets meer te zeggen. Wat er ook gebeurt: we kunnen er niets meer aan veranderen.

Na een dik half uur verschijnen de jongens opeens weer om de hoek van de gang en we kijken ze onderzoekend aan: hoe ging het? Max grijnst nog net zo als toen hij wegliep: zou hij dat al die tijd volgehouden hebben? Nog voordat ze de gelegenheid krijgen om hun vader te spreken, wordt deze met zijn advocaat opgehaald. Wat een geluk dat ik erbij ben, anders zaten die jongens hier nu met z'n tweeën te stressen zonder enige steun. Ik heb zelfs geld bij me en de snoepautomaat zit vol, dus ik strooi ruimhartig met munten: neem straks wat je lekker vindt, maar vertel eerst eens even hoe het ging. David is bijna opgewonden van verontwaardiging: 'Ze wílden echt dat ik zou zeggen dat ik het héél moeilijk vind zo!' fluistert hij bijna. 'Echt waar, joh! Ze bléven maar doorzeiken dat het toch vast héél moeilijk voor ons moet zijn. En ik zei steeds maar dat ik er al helemaal aan gewend ben en dat ik het graag zo wil houden!' Hij lacht nu: 'Ze vonden me echt heel zielig, hoor, maar ik heb steeds gezegd dat ik het goed vind zo.' Ik klop hem glimlachend op z'n smalle schouders: 'Goed gedaan.' Max is zoals gewoonlijk van weinig woorden. Als ik hem vraag wat hij gezegd heeft, haalt hij zijn schouders op: 'Nou, gewoon.' Max verleiden tot uitspraken is geen eenvoudige opgave, en ik kan mij levendig voorstellen dat hij ook de dame van de kinderbescherming tot wanhoop moet hebben gedreven. Lachend kijk ik hem aan: 'Kom op nou!' Hij lacht gemoedelijk terug, werpt een verlangende blik op de snoepautomaat en kiest dan toch maar eieren voor zijn geld: 'Nou, gewoon, ik heb gezegd dat ik het goed vind zo.' En meer zal het ook wel niet geweest zijn. De beide broers staan eendrachtig op om de inhoud van de snoepautomaat te bestuderen. 'Neem wat je wilt,' roep ik geheel tegen mijn gewoonte in.

Na enige tijd komt Tom de zaal weer uit, met in zijn kielzog de advocaat. Beiden kotsen bijna van verontwaardiging over de oerconservatieve en autoritaire houding van de rechters. De negatieve vibraties en een onmiskenbare anti-vaderhouding staken direct de kop op bij zijn entree. Zijn advocaat kan hem alleen maar gelijk geven: de heren leken duidelijk van mening dat een moeder na een echtscheiding moet krijgen waar ze om vraagt: kinderen, geld, wat dan ook. Ze deden zelfs geen enkele moeite om hun vooroordelen te verhullen en waren ook nu in het geheel niet geïnteresseerd in de bewijsvoering. Dat co-ouderschap, dat vonden ze maar niks. 'Als wij het voor het zeggen hadden gehad,' baste het opperhoofd van het stel, 'dan hadden we hier nooit toestemming voor gegeven.'

Dus terwijl politici ijveren voor de betrokkenheid van vaders, terwijl in België wetsontwerpen worden gemaakt waarin het precies verdeeld co-ouderschap zelfs verplicht gesteld zou kunnen worden, zijn de rechters in ons land ervan overtuigd dat het maar malligheid is, die kinderen bij een zorgende vader in huis. Je kunt de politiek vernieuwen zoveel je wilt, en politici met verkiezingen naar huis sturen, maar rechters weten van geen wijken en blijven met hun grijze koppen volop in de gelegenheid om het moralisme uit de jaren vijftig ongegeneerd aan de maatschappij op te dringen. Ik voel vooral gelatenheid: welke uitspraak er ook komt, we zullen er wel mee kunnen leven. Als het maar eindelijk eens afgelopen is. Een wildvreemde mevrouw van de kinderbescherming baseert straks haar advies aan het Hof op nauwelijks een half uurtje; de tijd die de twee gesprekjes met de jongens in beslag hebben genomen. Niemand die gezien heeft hoe de kinderen leven, niemand die tijd genomen heeft, niemand die de andere gezinsleden iets gevraagd heeft. Een advies gegrond op vluchtig verzamelde gegevens en vooroordelen en dat al onze levens op zijn kop kan zetten terwijl geen van de betrokkenen iets aan de omgangsregeling wil veranderen.

De stiefmoeder is wederom niets gevraagd; niemand wil weten hoe ik het eigenlijk vind, dat hele stiefgedoe. Of ik die jongens eigenlijk wel aardig vind. Niemand wil zien of ik geen heks ben, of ik wel zes kinderen aankan; niemand wil weten hoe het voor mijn kinderen is, al die wisselingen, niemand lijkt op iets anders uit dan de vader een hak te zetten en de kinderen voor een flink deel bij hem weg te halen. Om wat voor reden dan ook. Maar het positieve relaas van David zal ze dat niet gemakkelijk maken en als we Max een beetje kennen, zal die slechts in hooguit drie woorden duidelijk gemaakt hebben dat het leven wat hem betreft prima is zo. Al was het maar omdat hij van het wantrouwende soort is, dat wildvreemden niet zomaar iets over zichzelf vertelt. De uitspraak zal zeker drie weken op zich laten wachten.

Bij de uitgang geven de jongens hun moeder een zoen: tot volgende week. Wij moeten nog even wachten op het zakmes van Max, dat tot grote hilariteit van de broers het hele alarmsysteem in gang zette toen we het pand betraden. Een gewapend kind! Met een rood hoofd haalde hij het, grijnzend als altijd in ingewikkelde situaties, uit zijn zak. 'Oeps!' deed hij onhandig en vrolijk, waarna hij het achteloos overhandigde aan de beveiligingsbeambte. Verbaasd en een beetje gegeneerd keken Tom en ik naar het ding: 'Waarom heb je dat nou bij je?' Max haalde zijn schouders op: 'Zit er al een hele tijd in, ik was hem vergeten.' Een gewapend kind in het gerechtshof kan niet door de beugel, maar op straat mag hij het gerust weer bij zich hebben: 'Alsjeblieft jongen,' glimlacht eindelijk eens iemand vriendelijk in dit gebouw.

Rechtsgang: de Kosten

Advocaat

Hij (of zij) vraagt een uurtarief, dat per advocaat nogal kan variëren maar al gauw in de honderden euro's loopt. Het is zinvol om van tevoren een aantal advocaten naar hun tarief te vragen. Het is niet per se zo dat een dure advocaat ook een betere advocaat is. Bij veel kantoren kun je een gratis adviesgesprek aanvragen. Het aantal uren dat een advocaat met je zaak bezig is, ligt altijd aanmerkelijk hoger dan je verwacht; zelfs de tijd die hij kwijt is om je een rekening te sturen brengt hij in rekening. De kosten van een hele procedure zitten voor je het in de gaten hebt al snel rond de tienduizend euro. Als je netto maandsalaris (samen met je eventuele nieuwe partner) minder is dan € 2135,-[19] en je niet meer kapitaal hebt dan € 10.500,-, kun je vragen om een **'toevoeging'** van een advocaat. Dat wil dan zeggen dat je de advocaat voor de hele procedure een vast bedrag aan eigen bijdrage betaalt en dat er verder geen uurtarief meer geldt. Hoe hoger je eigen inkomen/vermogen is, hoe hoger de eigen bijdrage. In 2005 geldt dat de maximale eigen bijdrage bij een toevoeging € 769,- bedraagt. De inkomensgrenzen voor alleenstaanden en mensen zonder kinderen in huis liggen lager dan voor gezinnen (één- of tweeouder).[20] Bij de beslissing of je in aanmerking komt voor een toevoeging (je vraagt die aan bij de gemeente) wordt niet altijd naar de waarde van je huis gekeken. Dat hangt weer af van je leefomstandigheden, je hypotheeklast, enzovoort. In elk geval wordt de eerste € 65.344,- aan waarde van je huis buiten beschouwing gelaten.

Het maakt voor de advocaat financieel niets uit of hij de zaak wint of verliest: hij (of zij) verdient er evenveel mee. Bij een niet-toevoeging heeft hij er dus baat bij dat een procedure lang duurt: hoe meer uren, hoe meer geld. Laat je dus niet opjutten tot bijvoorbeeld hoger beroep als het eigenlijk geen zin heeft, en doe de dingen die je zelf kunt doen (berekeningen maken en dergelijke) zoveel mogelijk zelf.

Griffierecht

Naast de advocatenkosten is er ook het **griffierecht**: dat moet je altijd betalen, hoe arm je ook bent. Zowel gedaagde als eiser betaalt bij een familierechtszaak € 102,- bij de rechtbank en € 244,- bij het Hof.

Proceskosten

Ten slotte is het nog mogelijk dat de andere partij het voor elkaar krijgt dat je wordt **veroordeeld in de proceskosten**. Dat gebeurt alleen als jij helemaal verliest en volledig in het ongelijk wordt gesteld; in dat geval kan het je gebeuren dat je alle advocatenkosten en het griffierecht van je ex moet betalen, hoe laag je inkomen ook is. Er zijn dus wel flinke financiële risico's aan verbonden als je je recht wilt halen.

---

19 De hier gegeven normen gelden voor 2005.

20 Meer informatie is te vinden op de site www.jurofoon.nl.

13

PUBERS EN STIEFPUBERS

De eerst goede relatie tussen stiefouder en stiefkind kan in
de puberteit verslechteren. De relatie met de stiefouder komt
dan namelijk onder druk te staan door het verzet van de puber.
De oorzaak hiervan kunnen we mogelijk vinden in het feit dat
het incasseringsvermogen van de stiefouder niet zo groot is
als dat van de natuurlijke ouder, door het ontbreken van de
bloedband.

Boukje Overgaauw in *Puber Tijd*, publicatie in *Stiefband* nr. 28, december 1999.

Ik voel me al dagen niet lekker, maar ben nog net niet ziek genoeg om comfortabel in mijn bed te kruipen. De meiden zijn niet thuis: Sophie eet bij een vriendinnetje en Anouk is na een introductiedag op haar nieuwe opleiding volgens het laatste telefoontje op weg naar huis. De jongens hangen met een bord eten op schoot achter mijn rug voor de televisie, terwijl Tom en ik tegenover elkaar aan tafel zitten en ik wat lusteloos in mijn bloemkool prik. Wanneer het mij niet goed gaat, heeft Tom de gewoonte in een uiterst zorgzaam mens te veranderen die het mij actief en bijna plichtmatig naar de zin probeert te maken, terwijl ik heimelijk het liefst geheel met rust word gelaten. Liever kruip ik weg in een hoekje dan dat ik steeds maar dankbaar en liefdevol moet knikken voor alle weldaad die mij wordt aangedaan. De klieren in mijn hals zijn flink opgezwollen en ik voel oorpijn opkomen, waardoor het getetter van de jongens van Tom harder klinkt dan ooit. David en Max hebben zo'n bui waarin ze in de veronderstelling verkeren dat alles wat ze zeggen buitengewoon hilarisch is en bevestigen elkaar daarin door om elke uitspraak van de ander in lachen uit te barsten. Tom aanschouwt de pubergein van zijn jongens geamuseerd, terwijl zij zichzelf, vermoedelijk vanwege de borden aldaar, nog net niet bij elk zinnetje op de dijen slaan van de pret. Ik ervaar de lol intussen louter als geluidshinder en mijn eigen kinderen voelen dat kennelijk aan, want die doen slechts af en toe een bescheiden duit in het zakje. Waarom ontroert de baard in de keel van mijn Casper mij zo en klinkt een gelijksoortig bromgeluid van David nu als een drilboor? Waarom zit ik altijd mee te grijnzen met de meligheid van Flip en vind ik die van Max opeens zo irritant? Ik kan het niet laten vanachter mijn bord commentaar te leveren op de onwijsheden die door de kamer worden gestrooid: ze weten heel zeker dat Latijn verplicht is op het vwo van hun scholengemeenschap, en topografische kennis heb je in het leven werkelijk nooit ergens voor nodig. 'Onzin!' brom ik geërgerd, en als ze voet bij stuk houden en er nog bij blijven grijnzen ook, snauw ik: 'Houd toch op met die flauwekul!' Tom kijkt me onderzoekend aan maar zegt nog niets. Dat geeft me het gevoel dat hij mijn ergernis wel begrijpt en ik voel me dan ook niet genoodzaakt mijn houding te veranderen. Als zijn jongens er vervolgens toe overgaan om nog tijdens het eten de beide honden om de beurt te roepen en op twintig lollige manieren hun namen uit te spreken, laat ik me dan ook vol gaan: 'Houd nou godverdomme eens op met dat stomme gedoe!' Tom lijkt nog altijd geduld met me te hebben, ik ben tenslotte ziek en hij staat nog in de modus 'zorgzaam'. 'Wat ben je geërgerd,' constateert hij alleen maar kalm. 'Ja,' beaam ik zijn observatie strijdlustig, 'dat ben ik.' 'Nou ja,' vervolgt hij iets minder geduldig, nu een excuus van mijn kant uitblijft, 'dat je het je wel realiseert, want je reageert echt overdreven, hoor.' Nou, dat vind ik helemaal niet. Ik kijk hem recht in de ogen en zeg: 'Ik vind jouw jongens vanavond bloedirritant.' 'Wat doen ze dan?' vraagt hij in mijn ogen onnozel. Hij heeft toch ook oren in zijn hoofd? 'Irritant,' antwoord ik dan ook alleen maar. Tom zwijgt, maar zijn gezicht staat plotseling heel anders; mijn zorgzame man heeft het nu duidelijk met me gehad en zit zich te beheersen tot de kinderen uit beeld zijn. Ik krijg heel even de neiging om er stiekem snel tussenuit te sneaken, maar ik blijf manmoedig zitten en kijk hem uitdagend aan: kom maar op. Ik voel me toch al vreselijk, dus een ruzie kan er ook nog wel bij.

Als de jongens hun borden in de afwasmachine hebben gezet en met z'n allen naar de voetbalwedstrijd van Casper zijn vertrokken, barst mijn geliefde toch nog onverwacht heftig los: 'Pleur op jij! Die jongens doen helemaal niks fout!' 'Nee, natuurlijk niet,' schamper ik, 'die doen namelijk nooit wat fout!' 'Ze waren helemaal niet irritant!' schreeuwt hij nu woedend. 'Daar ga jij niet over, over wat mij irriteert,' bits ik. 'Dat bepaal ik helemaal zelf!' Zijn ogen spuwen nu vuur en hij slaat hard op tafel: 'Jij geeft ze het gevoel dat ze hier niet mogen zijn!' 'Ja,' gooi ik sarcastisch olie op het vuur, 'precies, jij snapt het.' Het is heel even stil. Het is nu kiezen:

inbinden of ontploffen. Hij kiest voor het eerste. 'Ik weet gewoon niet wat ik moet doen,' klaagt hij opeens, 'ik voel jouw ergernis en die jongens hebben gewoon lol, en dan heb ik steeds het gevoel dat ik de hele tijd moet schipperen om het iedereen naar de zin te maken; dat is ontzettend lastig.' Ha! Nou heb ik hem! Hoeveel honderden keren heb ik niet in dezelfde situatie gezeten tussen mijn geliefde en mijn oudste dochter? 'Ja, dat ken ik,' zeg ik nu dan ook heel rustig en beheerst, 'dat ken ik natuurlijk van jou en Anouk.' Ik had het kunnen weten: begrip is het laatste wat mij dit oplevert. 'Mijn jongens zijn NIET hetzelfde als Anouk!' buldert hij nu terwijl hij opstaat en de stoel woedend tegen de tafel smakt. Nee, natuurlijk niet, denk ik cynisch, die van jou zijn engeltjes vergeleken bij mijn turbopuber, mijn jongensgekke en vaak strijdlustige dochter. Maar ik houd wel net zo veel van haar als jij van die twee jongens, of jij dat nu goedvindt of niet. Zwijgend werp ik een blik op de krant, om aan te geven dat het gesprek wat mij betreft is afgelopen. 'Ik ga naar de voetbalwedstrijd van Casper kijken,' zegt mijn man alsof hij mij daarmee straft. En weg is hij.

Al toen mijn kinderen heel jong waren, kleuters nog, voorspelde ik mijn vriendinnen wat voor pubers het zouden worden. Anouk zou voortdurend dingen willen die ik niet goedvond en vol de strijd aangaan, onophoudelijk met haar uiterlijk bezig zijn en zich omringen met jongens. Casper zou laconiek en schouderophalend volkomen zijn eigen luie gang gaan, Flip zou zich er met humor en charme doorheen slaan en zo alles van me gedaan kunnen krijgen, en Sophie zou alles rationaliseren en voortdurend de discussie aangaan. En zo geschiedde. Het is alleen nog even wachten tot het zover is, maar je weet wat je te wachten staat en daarom heb je er ook vrede mee. Niet alleen omdat je het al zag aankomen, maar ook omdat ze hun karakters niet van een vreemde hebben. Toen ik ooit tegen vriendin Ellen klaagde dat Casper als kleuter zo intens lui was en met geen stok in beweging te krijgen, trok ze slechts grijnzend haar wenkbrauwen omhoog en vroeg: 'Goh? Hoe kan dat nou?' Samen schaterden we het uit op het moment dat het besef tot mij doordrong dat de jongen niets anders deed dan intensief op zijn ouders lijken. Eigenschappen van kleine kinderen, vooral de hinderlijke, vergroten zich heftig uit in de puberteit: Anouk brengt meer uren voor de spiegel door dan ooit en heeft soms niet eens genoeg aan één verkering tegelijk, Casper haalt nóg vaker zwijgend en grijnzend zijn schouders op dan voorheen, Flip blijkt met zijn charme en humor inmiddels bijna te neigen tot arrogantie en Sophie, die nog maar net begint, laat meer logische redeneringen op je los dan een mens kan hebben.

Met stiefpubers ligt het geheel anders. Niet alleen komen ze, op wat voor leeftijd dan ook, zélf zomaar opeens je leven binnenstappen, maar ze nemen ook eigenschappen mee die je volkomen onbekend zijn. Eigenschappen die eerst nog niet zo opvallen maar die zich in de puberteit opeens in hun volle omvang laten zien, en daarbij introduceren ze ook nog eens een gevoel voor humor dat je zeker in eerste instantie niet altijd deelt. Je hebt hun gedrag niet zien aankomen, want je hebt je stiefkinderen meestal nog niet kunnen observeren in hun kleutertijd, ze bieden je geen herkenning van je eigen karakter en je kent hun genen niet goed. De heimwee van het huilende jongetje kort na de scheiding van zijn ouders blijkt te passen in een karakter dat voortdurend aandacht wil, en zo heb je na jaren stiefmoederschap opeens een boomlange puber in huis die aldoor om zijn vader heen hangt en nooit ophoudt met praten. De slimme teksten van je jongste stiefzoon monden uit in een eigenwijsheid waar de honden geen brood van lusten, en het scherpe observatievermogen van de oudste leidt opeens tot stromen kritiek op alle huisgenoten, waarbij vooral de eigen broer het moet ontgelden.

Vervelend gedrag dat je niet herkent en dat voor je gevoel zomaar uit de lucht komt vallen, geeft ergernis. Jij ergert je niet alleen aan je stiefkinderen; je geliefde stoort zich omgekeerd net zo erg aan jouw nakomelingen en trekt zijn wenkbrauwen net zo op bij hun lol. Als Tom de kamer van Anouk weer geïrriteerd 'klein Bagdad' noemt vanwege de ongelooflijke puinhoop die ze er elke keer in *no time* van weet te maken, grap ik dat hij maar snel de deur dicht moet doen; dan zien we het niet meer. Het kind is een dochter van haar vader, en na tien jaar huwelijk met Willem heb ik me er allang bij neergelegd dat van een chaoot *never* nooit een ordentelijk mens te maken valt. Maar Tom blijft van mening dat het allemaal het resultaat is van een slechte opvoeding, en blijft pogingen ondernemen om haar te veranderen. Als ik me erger aan de onhandigheid waarmee Max zijn bestek hanteert tijdens het eten en het niet kan laten om er voor de honderdste keer een opmerking over te maken, grijnst Tom berustend zonder mij te steunen: laat die jongen toch, hij is nog nooit handig geweest en zal het wel nooit worden ook. 'Ruim even je eigen schone was op,' zeg ik tijdens de vakantie in ons zomerhuisje tegen Max. 'Ik heb het allemaal op het onderste bed gegooid. Van jou liggen er alleen sokken.' Vijf minuten later kom ik de slaapkamer binnen en tref ik Max op zijn buik onder het bed aan. 'Wat doe je daar nou?' vraag ik verbaasd. Mopperend komt hij onder het bed vandaan: 'Ik kan ze niet vinden.' Stomverbaasd kijk ik hem aan: 'Wát kan je niet vinden?' 'Mijn sokken,' mompelt hij geërgerd. Naast een grote stapel schone was liggen zijn sokken, keurig op het onderste bed van het stapelbed. 'Daar toch!' roep ik nu geïrriteerd. 'Oh,' doet hij verbaasd, 'ik dacht dat je zei: ónder het bed.' Alleen onze gymnasiast Max kan serieus denken dat ik alle was netjes op het bed leg, maar zijn sokken eronder smijt. Briesend loop ik weg en ik vertel het verhaal verontwaardigd aan Tom, die schatert van het lachen: 'Ha ha, die Max! Wat een mafketel!' Hij loopt naar zijn zoon en haalt grijnzend en vertederd zijn hand door zijn haar: 'Oliebol.' Max kijkt slechts verongelijkt mijn kant op en ik zie hem denken: Je zei écht 'onder het bed', ik ben heus niet gek.

De stiefpuber heeft het zwaar. Er wandelt een volwassene door het huis die maar weinig begrip of vertedering op kan brengen voor zijn onhebbelijke trekjes, en tegelijkertijd draait er een vader of moeder om hem heen die zich juist optimaal inspant om het de half-ontheemde puber naar de zin te maken. Als het even tegenzit, woont het arme kind in twee stiefgezinnen tegelijkertijd en heeft hij op beide adressen stiefbroers of -zussen. In ons geval beperkt de schade zich tot slechts één gezin en kunnen de zes pubers in het andere huis even onbekritiseerd hun gang gaan in totale afwezigheid van wat voor stief dan ook. Bij Hanna mogen de jongens een grote bek hebben en diep in de nacht pas thuiskomen, desnoods met een slok op, en bij Willem mogen mijn kinderen al hun rotzooi achter hun kont laten liggen en de hele dag in pyjama internetten. Even helemaal vrij van kritiek en vrij van competitie.

Want de concurrentie tussen broers mag dan traditioneel berucht zijn, deze valt geheel in het niet bij de geldingsdrang binnen een stiefgezin. Vier jongens, bijna allemaal even oud, zijn hier onophoudelijk met elkaar in competitie: wie is de betere voetballer, wie kan beter leren, wie maakt de slimste opmerkingen, wie heeft de duurste spijkerbroek of de mooiste voetbalschoenen, wie heeft de coolste vrienden, wie heeft er al verkering gehad, wie snapt het best wat 'vet' of 'chill' is, wie is het lolligst van allemaal, van wie houdt de hond het meest? Het is alsof een kudde dominante reuen in mijn huis heeft plaatsgenomen die onophoudelijk met opgerichte oren en opgekrulde staarten om elkaar heen draaien. Ze rollen meestal niet letterlijk, maar des te vaker figuurlijk over elkaar heen, grauwen en grommen, kwispelen en stoeien en bijten zelfs af en toe. Met drie jongens in hetzelfde leerjaar is elke test op school een wedstrijd om het hoogste cijfer (of om een voldoende tegen de geringste inspanning) en is elk sociaal contact een punt waarmee je scoort of verliest. Je nieuwe vriend is een 'wannabe' of juist een 'coole gast' en het oordeel is even genadeloos als snel geveld.

En tot mijn grote schande moet ik bekennen: ik doe stiekem mee. Ik vind mijn jongens knapper en mijn zoons voetballen beter, en dat maakt goed dat Max veel beter kan leren en dat David meer vrienden heeft. Als Casper na Flip ook gekozen wordt voor de voetbalselectie geniet ik in stilte een beetje van de jaloerse blik van zijn stiefbroer, en ik kan het niet uitstaan dat mijn stiefzoons helemaal geen pukkels hebben. Daar staat weer tegenover dat Casper de langste is en al wat baardgroei heeft, waardoor hij als eerste al een beetje man is. En terwijl Tom zijn zoons vermoedelijk stoerder vindt dan de mijne omdat die van hem vaak ruziën en elkaar een ferme mep geven, prijs ik mijn vredelievende jongens de hemel in omdat het zulke goede kameraden zijn. Moeiteloos betrek ik ook mijn dochters in de strijd: Sophie is heus nog slimmer dan Max, wacht maar af, en Anouk mag dan onmogelijk zijn af en toe en de school aan haar laars lappen: ze is ook beeldschoon, heeft werkelijk een goed hart, is met stip de meest ondernemende en sportieve van allemaal en de jongens staan wel voor haar in de rij. En terwijl David en Max heilig ontzag hebben voor hun vader, deinst zij er niet voor terug om hem stevig van repliek te dienen. Mijn heldin.

Als ik Tom na jaren samenleven voorzichtig mijn competitiegevoelens voorleg, kijkt hij mij stomverbaasd aan. Naar eigen zeggen herkent hij er totaal niets in, en ik kan het bijna niet geloven. Vindt hij het dan stiekem niet leuk dat het Flip niet gelukt is op het gymnasium en dat Max er nog steeds zit? Is hij er dan in stilte niet een beetje trots op dat zijn oudste aldoor feestjes heeft en de jongens van mij bijna nooit? Vindt hij het niet fijn dat hij het wangedrag van Anouk op mijn schouders kan schuiven als het resultaat van een slechte opvoeding waar hij geheel buiten heeft gestaan? Hoopt hij niet in stilte dat Casper toch nog buiten de selectie gaat vallen omdat zijn jongens zo veel lager spelen? 'Nee.' Ik kijk hem zwijgend aan, en langzaam dringt tot mij door dat hij de waarheid spreekt. Ik ben een nare stiefmoeder.

Nou kan het nog veel erger. Als je internet bekijkt, val ik nog reuze mee en is het een riskante zaak om stiefkind te zijn. Je hebt zomaar een ongelukje, je wordt verwaarloosd en mishandeld voor je er erg in hebt, je doet het veel slechter op school dan je leeftijdgenoten, je loopt al snel weg van huis en raakt aan de drank of de drugs en vooral meisjes krijgen de neiging om veel te vroeg en veel te heftig aan de seks te gaan. Stiefmoeders zijn harteloze sukkels die hun best wel doen maar er niet veel van bakken, en als je op een regenachtige zondagmiddag in Google op 'stiefvader' zoekt, stuit je op talloze dramatische verhalen over mishandeling en misbruik.

Wat maakt de stiefouder zo onverantwoordelijk? Het moet het gebrek aan bloedband wel zijn. Vader draagt zijn kinderen achteloos over aan de zorg van zijn nieuwe vrouw, maar het mens heeft geen moederinstinct of schakelt dat voor zijn kinderen niet in, en let niet op. Haar zie je niet elk kwartier uit het raam hangen om te kijken of de kleuter nog wel op de stoep speelt, zij vraagt zich niet dertig keer per dag af of het traphekje wel dicht is en zij ziet de stiefpuber maar al te graag op zijn brommer naar de disco vertrekken, voor een lange avond met of zonder alcohol. Ongelukjes zitten in kleine hoekjes, vooral in aanwezigheid van een stiefmoeder die niet oplet of met je vader zit te zoenen.

Kinderen in stiefgezinnen worden volgens een Canadees onderzoek opvallend vaker mishandeld dan andere kinderen omdat stiefouders er minder belang bij hebben om moeite voor de kinderen te doen dan echte ouders.[21] Mishandeling uit luiheid? Ik heb geen zin om moeite te doen voor mijn stiefkinderen, dus ik mep ze maar liever? Is negeren en desnoods verwaarlozen dan niet eenvoudiger? Als ik terugdenk aan de zeldzame keren dat ik mijn oudste dochter in opperste emotie en wanhoop een mep heb gegeven, dan kwam die voort uit pure liefde: uit vreselijke bezorgdheid en een bijna gekmakend gevoel van machteloosheid. Zulke heftige gevoelens ken ik niet voor mijn stiefkinderen, en ik heb dan ook nog nooit de geringste aandrang gevoeld om ze een tik te geven. Een puberdochter van veertien die zonder enig bericht niet thuiskomt om te eten, haar telefoon niet opneemt en er om twaalf uur 's avonds nog niet is, maakt je ziek van ongerustheid en angst. Hoewel grote vreugde je zou moeten overspoelen als ze eindelijk met haar brutale gezicht de keukendeur binnenwandelt alsof er niets aan de hand is, is daar opeens dat moment van emotionele razernij. Heel even maar: één tik. Terwijl zij doodgemoedereerd door de donkere nacht fietste zag jij een verkrachting, een ontvoering of een zwaar bewapende loverboy voor je. Maar toen David van dertien een feestje had en een half uur te laat om half één in de nacht het huis binnenwandelde, keek ik stomverbaasd op: wie kwam daar nou aan? Ik was geheel vergeten dat er nog iemand in aantocht was en had me er dan ook geen moment zorgen over gemaakt dat hij over donkere fietspaden langs bossen en weilanden en door uitgestorven straten moest fietsen. Geen tik voor hem.

Waarom zou een stiefkind het slechter doen op school dan andere kinderen? Er zijn meer ouders beschikbaar om te helpen bij het huiswerk, en

---

21 In *Child abuse and other risks of not living with both parents* noemen de evolutionair psychologen Martin Daly en Margo Wilson het stiefouderschap als grootste risicofactor voor kindermishandeling. (Bron: *NRC* 22-4-2005.)

toch bakt hij er niet veel van. Is het stiefkind een emotioneel wrak dat zich niet kan concentreren, gaat er te veel energie zitten in de voortdurende aanpassing aan twee verschillende gezinnen, zit zijn vader verliefd op de bank en vergeet hij naar het huiswerk te informeren? Of bedenkt het stiefkind smoesjes: 'Mijn boek ligt in het andere huis', 'Ik heb het huiswerk in het weekend al bij mama gemaakt', 'Ik was ziek toen we die test moesten doen'?

Toen David op school niets anders deed dan gein trappen met zijn vrienden en geen klap uitvoerde, verschenen er op zijn rapport zes onvoldoendes. Beide ouders waren er niet op voorbereid, want David had zijn mond gehouden en geen van beiden was door de school benaderd, angstig als men bij gescheiden ouders is voor een confrontatie. In plaats daarvan werd David ontboden bij de decaan, die hem met omfloerste stem een 'personal coach' aanbood. Een kind dat steeds heen en weer moet pendelen tussen twee ouders, die ook nog eens met elkaar in strijd verwikkeld zijn, moet wel een traumatische jeugd hebben. Zo'n jongen neem je niets kwalijk; die neem je in bescherming. Zo kreeg hij alle gelegenheid om door te kloten en er een potje van te maken; zijn excuus lag al voor hem klaar. David was zo onhandig om het verhaal thuis grinnikend te vertellen, en pas toen zijn bloedeigen vader ingreep, streng ging toezien op het huiswerk en dreigde met een computerverbod bij een volgend slecht rapport, ging David aan de slag en verdwenen de onvoldoendes als sneeuw voor de zon. De personal coach kwam nooit in actie.

Uit diverse onderzoeken komt naar voren dat een kind maar het beste uit een 'kerngezin' kan komen, ofwel een doodgewoon huis-tuin-en-keuken-heterogezinnetje. Het aantal van die gezinnetjes in onze samenleving neemt echter hard af en het aantal stiefgezinnen (waaronder ook homoseksuele gezinnen) neemt met sprongen toe. Gezien de aanname dat probleemjongeren relatief vaak uit stiefgezinnen komen, wacht ons een spectaculaire toename van deze groep raddraaiers. Een enorm probleem zou je denken, maar er is niemand die zich druk maakt. Hoeveel jeugdige criminelen staan ons te wachten in de toekomst? Al jaren wordt het cijfer van 250.000 stiefgezinnen in Nederland genoemd, met een veronderstelde toename van 10.000 per jaar. Maar tegelijkertijd lees je overal dat dit alleen over de gezinnen gaat waarin sprake is van een huwelijk of geregistreerd partnerschap en dat de meeste stiefgezinnen nu juist gevormd worden door ongeregistreerd samenwonenden. Verdubbel je dus het genoemde aantal stiefgezinnen en ga je uit van twee stiefkinderen per gezin, dan kom je al snel uit op een miljoen probleemjongeren in de dop: drugsverslaafden, weglopers en criminelen. Een nationale ramp.

Maar er is hoop: in een artikel in *Psychologie Magazine* wordt ons verteld dat kinderen uit goed functionerende stiefgezinnen 'net zo'n gezonde ontwikkeling doormaken als kinderen uit een harmonieus kerngezin'.[22] De lastpakken in onze maatschappij ontbreekt het aan harmonie in hun leven, en dat is kennelijk vooral het geval in een stiefgezin. De oplossing is dus aan ons: ouders en stiefouders. Aan ons de belangrijke en nobele taak om de stiefkinderen van nu te behoeden voor de dreigende ondergang en ze onder te dompelen in harmonie.

Daar hebben we niet al te veel tijd voor, want stiefkinderen hebben ook de naam dat ze eerder dan leeftijdgenoten het huis verlaten. Het ligt voor de hand om te denken dat ze dat doen omdat ze verwaarloosd en mishandeld worden door hun stiefouder: wegwezen! Veel waarschijnlijker is het echter, dat de jongere op de vlucht slaat voor een overdosis liefde en aandacht. Ouderliefde kent weinig grenzen en in een stiefgezin is dit nog erger, omdat de biologische ouder er vrijwel altijd gebukt gaat onder minstens een kleine hoeveelheid schuldgevoel. De stiefouder ergert zich dood aan het asociale pubergedrag, en de biologische ouder voelt die ergernis als een regelrechte aanval op het kind. Instinctief neemt vader of moeder het in bescherming, zoals elk dier doet bij gevaar. Maar welk ander dier accepteert zo veel wangedrag van zijn jong als de mens? Welke moederdier accepteert het dat haar nakomeling zichzelf onophoudelijk en opzettelijk in het gevaar stort en haar elke nacht uit haar slaap houdt? Zo'n onaangepast jong wordt al snel verstoten en aan zijn lot overgelaten als een slecht exemplaar van de soort, terwijl de kudde verder trekt. Voor een eigen wil is geen ruimte en van een puberteit kan geen sprake zijn: het is aanpassen of wegwezen. En als de tijd daar is, weet elk dier dat het het ouderlijk nest moet verlaten. Hij doet dat zonder discussie, hij kijkt niet achterom en hij komt niet eten in het weekend. Bij problemen zoekt hij zelf een oplossing, zonder hulp te zoeken bij zijn ouders, die hem trouwens allang vergeten zijn.

Het is niet verwonderlijk dat juist de stiefpuber zo vroeg toegeeft aan zijn verlangen naar vrijheid en onafhankelijkheid. Hoewel in vrijwel alle bronnen de indruk wordt gewekt dat er in het leven van een kind hooguit sprake is van één stiefouder, is de realiteit vaak een stuk ingewikkelder.

---

22 Bron: *De weg naar rust en vrede in het stiefgezin*, Amber van der Meulen in *Psychologie Magazine* juni 1999.

Het zal geen zeldzaamheid zijn dat beide ouders na de scheiding opnieuw een partner vinden, en in dat geval verblijft het kind al snel afwisselend in twee stiefgezinnen, hoe de omgangsregeling ook in elkaar zit. In beide stiefgezinnen kan het kind bovendien stiefbroers en -zussen hebben, en het bezit van vier opa's en vier oma's is niet langer buitengewoon, om nog maar niet te spreken van het ingewikkelde bestand aan familieleden en vrienden. Voeg daarbij dat stiefgezinnen in 66 procent kans vrij groot is dat zich daarna weer een nieuw stiefgezin vormt, en het kind bevindt zich in *no time* binnen een gigantisch web van (stief)familieleden en vrienden die zich allemaal met hem bemoeien. Is het een wonder dat een jongere in zo'n situatie eerder dan zijn leeftijdgenoten besluit de tent te verlaten en lekker rustig op kamers te gaan wonen? En is dat erg? Het stiefkind heeft sneller dan alle andere kinderen geleerd zich aan te passen en te voegen naar steeds wisselende omstandigheden, en kan de zelfstandigheid daardoor misschien ook gewoon wat eerder aan.

Elke puber, stief of niet, heeft de taak om zich los te maken van zijn ouders. Daarvoor krijgt hij een flink aantal jaren de tijd, maar dan moet hij ook weg zijn. Het is niet zo simpel meer om je kind het huis uit te gooien, al was het maar omdat tegenwoordig bijna iedereen een dure vervolgopleiding wil doen en kamers onbetaalbaar zijn. Veel ouders staan hun kinderen dan ook steeds langer toe om thuis te blijven hangen, terwijl ze hen zo veel mogelijk vrijheid gunnen. Wil de jongere toch graag weg, zoekt hij steun voor zijn vertrek en geld om een kamer te kunnen betalen, dan moet hij ervoor zorgen dat zijn ouders hem graag kwijt willen. Om dat te bereiken moet hij zich thuis volkomen onmogelijk maken, maar dat valt niet mee: de moderne en liefhebbende ouder ziet dwars door de gothic-griezel met zwarte lippen en tientallen piercings toch gewoon dat snoezige kleutertje van weleer. Zelfs al trekt zoonlief een Lonsdale-trui[23] aan, dan loopt hij gewoon in onnozelheid achter de verkeerde jongens aan. Komt hij stomdronken of knetterstoned thuis, dan ruimen ze liefdevol zijn kots op en stoppen hem in bed. Het valt tegenwoordig niet mee om je ouders boos te krijgen. Voor de stiefpuber ligt het nog ingewikkelder: terwijl de echte ouder zich uitleeft in liefdevol begrip, duwt zijn stiefouder hem bij wangedrag het liefst zo snel mogelijk de deur uit. In het stiefgezin gaat het er daardoor vaak al snel heftig aan toe. Geef de jongere die dan zijn biezen pakt eens ongelijk.

---

23 Lonsdale is van oorsprong een merk sportkleding, maar is door racistische jongeren geadopteerd als huismerk.

Wanneer is je kind eraan toe om te gaan? Geen flauw idee. Als ik naar mijn oudste kijk, denk ik: nooit. Ik denk dat ze nooit zal leren om de griezels van de betrouwbaren te onderscheiden, ik denk dat ze alleen nog maar patat zal eten, ik verwacht dat haar huis in *no time* onderdak zal bieden aan hele kuddes muizen en ratten omdat ze nooit wat opruimt of schoonmaakt, ik denk trouwens ook dat ze de voordeur open laat staan. En ik verwacht elke dag minstens twee telefoontjes omdat ik een probleem voor haar moet oplossen, omdat ze geen geld meer heeft om te eten, omdat ze de was wil komen brengen of omdat ze liefdesverdriet heeft. Zoals vermoedelijk elke moeder van elke puberdochter verwacht. Omdat ze niet los durft te laten. Ik wacht maar gewoon op de dag dat ik het opeens voel: het lef om haar los te laten. Net zoals in elk moederleven ook die dag aanbreekt dat ze haar kind tóch alleen op de fiets naar school durft te laten gaan. Maar ik wil wel kunnen wachten tot ik dat gevoel, geheel op eigen kracht, zelf krijg. Ik wil het me niet laten opdringen door een stiefvader die bij elk vertrek genietend aftelt. Als Tom zijn ergernis over de puinhoop van Anouk luidruchtig uit, en haar voor de honderdste keer uitfoetert omdat ze zich op haar zeventiende als een verwende kleuter gedraagt, sla ik in gedachten beschermend mijn armen om mijn kind. Denk maar niet dat het je gaat lukken om haar het huis uit te pesten, denk ik grimmig. Als jullie niet in vrede onder één dak kunnen leven, dan donder je maar op. Het is altijd hoog spel in een stiefgezin. Tom bezweert me keer op keer dat hij absoluut geen intentie heeft om mijn kind het huis uit te jagen, maar ik verdenk hem er soms toch van.

Op een barre winteravond sta ik voor het raam naar de donkere avond te kijken, in de hoop dat ik de fiets van Anouk zie, vaak te herkennen aan de duizelingwekkende snelheid waarmee hij aankomt. Ze is altijd ongeveer een kwartier te laat, dus daar reken ik al op. Vanavond hebben we de afspraak dat ze ábsoluut om tien uur thuis zal zijn, maar het is al bijna half elf en ik zie nog geen bekende koplamp en geen witte jas in het donker. Waar zou ze zijn? Ik vrees bij Kevin, een nieuwe ster, en ik heb geen idee waar hij woont. Het is een vriend van 'de Petjes', een groep jongens die steevast in het donker voor ons huis staat te wachten als Kevin boven zit in een vergeefse poging om Anouk mee naar buiten te krijgen. In het donker krijgt hij haar niet mee, maar nu is ze ontsnapt en ik maak me wilde zorgen. Tom kijkt op van zijn boek: 'Wéér geen Anouk, hè?' Wat een stom wijf ben jij, hoor ik hem denken, dat je dat kind vanavond hebt laten gaan. Je kon weten dat ze naar die Kevin zou gaan, en je kunt voorlopig wel vergeten dat ze thuiskomt. 'Nee,' zeg ik zo achteloos mogelijk, alsof ik mij in het geheel geen zorgen maak. Mijn maag draait zich intussen om, ik vrees een groepsverkrachting en neem mij heilig voor nooit meer een sexy truitje voor mijn dochter aan te schaffen. 'Weet je waar die Kevin woont?' vraagt Tom rustig, en ik weet dat hij het antwoord kent: hij wijst me erop hoe dom ik ben dat ik dat niet weet, en ik voel me strijdlustig worden. Hij heeft het maar gemakkelijk – het is zijn dochter niet, en als er wat met haar gebeurt vindt hij het natuurlijk alleen maar haar eigen stomme schuld. 'Eh, nee. Geen idee. Stom hè?' voeg ik er zelf maar vast aan toe. 'Nou ja,' haalt hij zijn schouders op, 'je kunt niet van alle jongens tussen de veertien en de achttien een adressenbestand bijhouden,' en hij geeft me voor de zoveelste keer het gevoel dat hij mijn schat maar een lellebel vindt. Ik zwijg en de nervositeit groeit.

Het is al elf uur geweest en er fietst nu helemaal niets meer langs. Tom kijkt me aan en ziet mijn onrust. 'Kom,' zegt hij opeens daadkrachtig, 'we gaan haar zoeken.' Ik kijk hem verbaasd aan: zoeken? Waar dan? Hij doet net alsof ze ergens op straat ligt, bedenk ik cynisch. Opeens doet mijn praktische oudste zoon een bruikbare duit in het zakje: 'Mike zit bij mij in de klas.' Ik begrijp direct wat hij bedoelt: Mike is een van de Petjes en staat met zijn telefoonnummer op de klassenlijst. Casper is al naar boven om hem te halen. Op dit tijdstip bel je geen wildvreemde mensen meer, maar ik wel. Nu wel. Het Petje blijkt zowaar thuis te zijn, en dat stelt me een beetje gerust. ze is dus niet met de hele kluit op stap. Maar ook het Petje weet eigenlijk niet precies waar Kevin woont; hij kan slechts een doodlopend straatje noemen en dan is het 'ergens in het midden aan de linkerkant.' Voor Tom blijkt deze informatie voldoende en hij pakt zijn jas. Voor het eerst sinds mijn scheiding voel ik me geen alleenstaande moeder. 'Ik vind haar wel,' zegt hij rustig. 'Blijf jij maar thuis, want misschien komt ze ondertussen. Bel me dan.' Met tranen in mijn ogen kijk ik mijn man na: ze heeft hier toch een vader, denk ik ontroerd en nog altijd bloednerveus. Hoe lang is het geleden dat iemand een probleem voor me oploste? Gespannen blijf ik voor het raam staan. Het lijkt een eeuwigheid te duren, maar dan gaat de telefoon: 'Ik heb 'r,' zegt Tom alleen maar kortaf en hangt weer op.

Tien minuten later parkeert hij zijn auto voor de deur, en uit de auto stapt een woedende dochter, op mijn skeelers, met in haar kielzog mijn man, die haar voor zich uit het huis binnenduwt. Als Anouk me ziet trekt ze een verongelijkt gezicht, alsof haar groot onrecht is aangedaan. Het is inmiddels bijna middernacht, en op het moment dat ik haar in veiligheid zie word ik razend. Rotkind! Tom doet kort verslag en praat met zo veel ergernis in zijn stem over mijn dochter, dat ik me realiseer dat hij dit enkel en alleen voor mij heeft gedaan. Bij hem geen opluchting, maar slechts woede over een stomme puber die haar moeder in de zenuwen heeft laten zitten. 'Ze zat bij Kevin. Ik heb in de auto tegen d'r gezegd: "Je hebt alleen maar geen blauw oog omdat ik niet weet of je moeder dat wel goedvindt."'

Vervolg van bladzijde 132

Mijn reactie op de top tien van 'aandachtspunten voor stiefgezinnen'

(Deze top tien is samengesteld door Ietje Heybroek-Hessels, in: *Samen Gesteld – de dynamiek van het stiefgezin*, 2004.)

9. Bouw als partners aan je relatie. Als deze stevig is, kun je samen veel aan.

Er bestaat geen relatie tussen twee partners waarbinnen niet gebouwd wordt, bewust of onbewust. Er is geen stel dat besluit te gaan samenwonen, ook nog met een paar kinderen, zonder op z'n minst het voornemen te hebben om er een mooie en solide relatie van te maken. Dat het 'stiefgebouw' zo snel en zo vaak instort is niet omdat er niet goed aan gebouwd is, maar omdat het bouwmateriaal zo weinig bestand is tegen de extra stormen, en de aanslagen van buitenaf. Dat je veel aankunt als je relatie stevig is, is een waarheid als een koe. Dat geldt voor elke liefdesrelatie, met of zonder kinderen. Je moet alleen in een stiefgezin veel meer kunnen hebben dan in een 'gewoon' gezin, en dat betekent dus eigenlijk dat je relatie steviger moet zijn dan welke andere ook. En dat terwijl je binnen het stiefgezin vrijwel altijd met een ingewikkelde voorgeschiedenis en een last op je schouders rondloopt. Je liefde voor elkaar moet steeds voorop blijven staan, wil je het samen overleven. En dat is verschrikkelijk lastig als kinderen en zelfs buitenstaanders tegelijkertijd het beeld oproepen dat jullie liefde van later zorg is.

10. Zorg dat je als stiefouder een baan, een hobby of in ieder geval iets voor jezelf hebt waar je goed in bent. Dat is een goed tegenwicht voor je onzekere gevoelens.

Elk mens moet iets te doen hebben in het leven, is het idee. Alleen maar een beetje voor die stiefkinderen zorgen de hele tijd, maakt niet gelukkig. Hoeveel mensen zouden er in onze maatschappij nog leven die helemaal niets voor zichzelf doen en de dag uitsluitend vullen met de zorg voor anderen? Een advies uit hetzelfde jaren vijftig boekje als nummer drie gaat er ook weer van uit dat je als stiefouder aan elkaar hangt van onzekerheid en zorgzaamheid. Ik ken ze niet, die onzekere types die de hele dag met wasmanden en kookboeken door het huis draven op zoek naar erkenning.

14

ROMANTIEK OP AFSPRAAK

Nieuwe relaties moeten de kans krijgen zich langzaam aan
te ontwikkelen; dat is des te moeilijker omdat stiefgezinnen
midden in de stroom beginnen, nadat een andere gezinscyclus
uit zijn voegen is geraakt.

In: *Hertrouwde gezinnen met adolescenten,* Magda Plomteux in: *Tijdschrift voor psychotherapie*
jaargang 15, nr 3, 1989.

Op een zonovergoten middag sta ik wat ongemakkelijk op mijn hoogge-
hakte schoenen in het natte gras naar mijn jongste voetbalzoon te kijken.
Niet alleen Tom is meegekomen deze keer; mijn andere kinderen en zelfs
de hond zijn er ook bij, omdat ik het hele handeltje weldra aan Willem zal
overdragen. Gewoontegetrouw is die te laat. Een voetbalvader naast mij
probeert zich op de wedstrijd te concentreren terwijl zijn twee dochter-
tjes ruziën om de riem van hun borderterriër en hem tot een beslissing
proberen te forceren. 'Wat doen jullie in de vakantie eigenlijk altijd met
je hond?' vraagt hij me in een dood spelmoment. 'Die gaat naar mijn ex,'
antwoord ik, en hij kijkt me verbaasd aan. Ik lach: 'We hadden hem al
toen we gingen scheiden, dus die hond zit gewoon bij de kinderen in het
pakket. Hij ontkomt er niet aan!' Willem is inmiddels gearriveerd, vergeet
mij weer eens te groeten en gaat wat horkerig een eindje van ons afstaan.
'Zullen wij dan zo maar gaan?' vraag ik aan Tom. 'Waar gaan jullie heen
dan?' vraagt de voetbalvader nieuwsgierig, want hij is niet van mij gewend
dat ik een wedstrijd van Flip voortijdig verlaat. 'We gaan een weekend
naar de Veluwe.' 'En de kinderen?' wil hij ook nog weten, 'waar laat je die
dan?' 'Bij mijn ex, die staat daar,' wijs ik, 'en die van Tom zijn bij zijn ex.'
De man slaat zijn ogen ten hemel: 'Oohh, ik wil ook een ex!' Zijn vrouw
glimlacht, en ik lach nu hardop: 'Ja, die kan ik ook absoluut aanbevelen!'

Een paar uurtjes zoeken op internet heeft me een hotel opgeleverd in
Otterlo, aan de rand van Park de Hoge Veluwe. Het belooft prachtig weer

te worden dit weekend, en in een opwelling heb ik ons ingeschreven voor
het 'cupido-arrangement'. Beetje duur wel, maar het zag er zo aanlokke-
lijk uit: een nachtje in de bruidssuite, bubbelbad, champagne en fruit bij
aankomst, na 23.00 uur het zwembad helemaal voor ons alleen en ontbijt
op bed. Als we afscheid hebben genomen van de kinderen en ik voor de
zoveelste keer gevraagd heb of ze me even willen bellen als ze veilig bij
hun vader zijn aangekomen, als ik eindelijk de blik van Flip in het veld
heb kunnen vangen en naar hem heb kunnen zwaaien, vertrekken we. De
voetbalvader wenst ons een fijn weekend, en dat is precies wat in de plan-
ning ligt. Geen onverwachte hoofdpijndag, geen ongesteldheid, geen ruzie
gehad de vorige avond: dit vooraf geplande romantische weekend zou wel
eens kunnen gaan slagen.

De rit naar de Veluwe is kort, en het witgepleisterde hotel voldoet meteen
al aan onze wensen: het ligt prachtig tegen het bos aan, het heeft een leuk
terras en een enorme tuin. Opgewekt melden we ons bij de receptie; het is
vier uur in de middag. Het meisje achter de receptie begroet ons hartelijk,
controleert onze namen op de lijst, en kijkt ons vervolgens stomverbaasd
aan. 'Bent u er nu al?' Wat denkt ze? 'Momentje hoor,' stamelt ze, en ze
verdwijnt naar achteren. Ik trek mijn wenkbrauwen op: zou je hier pas
laat mogen inchecken? Zo vroeg is het nou toch ook weer niet? Het meisje
keert terug met de manager, die ons allereerst hartelijk de hand schudt
en welkom heet, en vervolgens verontschuldigend glimlacht. 'De suite is
nog niet helemaal klaar. Normaal gesproken komen ze niet zo vroeg,' zegt
hij beleefd en hij kijkt ons afwachtend aan, alsof we hem een verklaring
schuldig zijn. 'Wie niet?' vraag ik dom. 'Het bruidspaar,' antwoordt hij
voorzichtig. We zien er niet alleen wat sjofel uit voor een zojuist getrouwd
stel, we hebben er ook maar een raar kort feestje van gemaakt. We lachen nu allebei hardop en Tom legt uit: 'We zijn helemaal niet getrouwd
vandaag, we hadden gewoon zin in een leuk weekend.' Oh. Dat is eigenaardig. De man vindt het duidelijk ongepast dat je zomaar voor de lol een
bruidssuite boekt, maar het meisje achter de balie lacht ons stralend toe:
wat romantisch! Professioneel herstelt de man zich snel: 'Als meneer en
mevrouw dan nu plaats zouden willen nemen in de tuin, dan brengen wij
u daar de champagne en maken we uw kamer zo snel mogelijk in orde.'
Helemaal goed; we wilden met dit prachtige weer toch niet meteen naar
bed of in bad. Het meisje gaat ons voor naar de tuin achter het hotel en
het ziet eruit als een paradijs: overal rozen en bloeiende bomen, diepe
rust, een vijver met een enkele kwakende kikker, riante ligstoelen en geen
mens te bekennen. Ik probeer de gedachte aan mijn vier kinderen in de
oude auto van Willem te verdringen, maar het wordt wel tijd dat er eens

iemand belt. Daar komt het meisje, met een fles 'champagne', twee glazen en een prachtige schaal vol aardbeien, druiven en meloen. 'Wat heb je dit fantastisch geregeld,' glimlacht Tom en hij heft zijn glas: 'Op ons!'

Als je huwelijk op de klippen is gelopen en je als uitgebluste moeder na jaren eenzaamheid een nieuwe liefde weet te vinden, zie je opeens weer licht. Een nieuwe kans. Er is opeens iemand die ziet wat je aanhebt, iemand die bewonderend praat over je blauwe ogen terwijl je zelf dacht dat alles inmiddels grauw en grijs aan je was geworden, iemand die zegt dat je verrukkelijk ruikt. Je sociale contacten liepen tot dat moment vooral via de telefoon: gehuld in comfortabele en weinig charmante moederkleren eindeloos bellen met vriendinnen in andere steden, oeverloos ouwehoeren met je zus of je moeder, maar nooit eens de deur uit kunnen lopen en iemand ontmoeten. Toen Ellen eens jolig informeerde of ik geen zin had om eindelijk weer eens 'een wip te maken', reageerde ik gegeneerd: kom op zeg! Alleen het woord al! En met wie moest ik dat in godsnaam doen? Ik kende helemaal geen losse mannen; alleen echtgenoten van vriendinnen, en die beschouwde ik slechts als vaders. 'Er belt hier heus niemand aan, hoor!' lachte ik. Maar dat klopte niet helemaal, bleek later. Tom had zelfs al vele keren bij me aangebeld om een zoon op te halen bij zijn vriendje, alleen had ik er geen flauw idee van dat hij degene zou zijn met wie ik op een dag de liefde zou bedrijven. 'De man van' is per definitie een seksloos wezen. Maar na enkele jaren werd hij 'de ex van', en dat opende geheel onverwachts nieuwe perspectieven.

En zo voorzichtig als je in je jeugd bent met een nieuwe liefde, zo waakzaam waar het gaat om het behoud van je onafhankelijkheid en je trots, zo ongelooflijk gemakkelijk geef je je als je ervan overtuigd bent dat dit je laatste en enige kans is. Vier kinderen, bijna veertig en onvermogend, en dan opeens een heerlijke man die op je valt. Naast mij op het kussen lag na al die jaren weer een slapend hoofd, en mijn hart sprong op als ik bedacht dat dit exemplaar er veertig jaar later misschien nog wel zou liggen: stel je toch eens voor! Kritiekloos aanvaardde ik hem in al zijn eigenheid, en elke onhebbelijke gewoonte begroette ik glimlachend: geen enkele moeite mee! Moest je toch eens zien hoe ik kon aanvaarden, accepteren en respecteren! Dit was mijn man, en daar kon geen ergernis ooit iets aan veranderen. Het was nu of nooit. Extra kinderen erbij? Geen probleem! Jaloerse exen op onze nek? Kom maar op! 'In mijn eentje vier kinderen is veel zwaarder dan met z'n tweeën zes, hoor,' riep ik stoer tegen iedereen die mij voorzichtig probeerde te waarschuwen dat het wel zwaar zou zijn, zo'n groot gezin opeens. Had ik niet verteld dat die man van Hanna zo verschrikkelijk dominant was? Ja, dat was wel zo, oreerde ik verliefd, maar dat kwam natuurlijk doordat hij haar niet voldoende respecteerde en liefhad. Bij mij zou alles anders zijn. Was ik dan eigenlijk niet gewend om de baas in huis te zijn en alles naar eigen inzicht te regelen? Was ik niet die moeder die haar man nooit inspraak had gegeven in de opvoeding? Ja, maar dat kwam door Willem! Die liet mij overal alleen voor opdraaien en tja, dan neem je dat op je. Maar ik was ook van het overleg, hoor; heerlijk als er eens iemand meedacht!

Er was geen wolkje aan de lucht, wij gingen gelukkig worden: dat was het plan.

En dat is in elk stiefgezin het plan. Wie een partner inclusief kinderen omarmt, heeft het plan gelukkig te worden en er een succes van te maken, en letterlijk niet te veel op de kleintjes te letten. Liefde en romantiek in een gezin met kinderen van een ander? Kan heus wel; je moet er gewoon een beetje moeite voor doen. Exen zorgen voor regelmatige afwezigheid van de kinderschare, en op zulke momenten moet je de romantiek gewoon máken. Eén kort weekendje per maand is het stil in ons huis: dan zijn alle kinderen bij de exen. Zo staat van tevoren precies vast wanneer we tijd hebben voor wat extra romantiek en het is ons geraden daar direct voor in de stemming te zijn.

Op het moment dat ik in de weekends van Willem de auto met kinderen uitzwaai, rust op ons bijna de morele plicht om de romantiek onmiddellijk nieuw leven in te blazen: heel even zijn we een kinderloos stel met volop tijd voor elkaar. Maar we zijn ook moe, het voelt nog altijd helemaal niet goed om kinderen met een ex uit te zwaaien en het huis is een troep. 'Wat wil je doen?' vraagt Tom altijd direct als de voordeur weer dicht is, waarna hij zijn vraag steevast vervolgt met: 'Als je niks wilt, doen we gewoon niks, hoor. Zeg het maar.' De tijd dat we elkaar direct besprongen als de kinderen uit beeld waren, is zachtjesaan vergleden, maar we zijn nog altijd bereid onze beste beentjes voor te zetten. En zo zwerven we tijdens kinderloze weekjes en weekendjes geregeld samen door de provincies van Nederland, en huizen we in de meest truttige hotels van Schoorl tot Schin op Geul. Twee dagen de tijd om je geliefde te laten zien dat je sinds die eerste nacht eigenlijk nog niets veranderd bent. Met de moed der wanhoop ga je aan de slag om van de ingezakte moeder weer het aantrekkelijke ding te maken voor wie hij viel. Om de vrolijke en vooral verliefde blik weer tevoorschijn te halen, die je geliefde duidelijk maakt waarom hij ook alweer gekozen heeft voor een huis vol kinderen.

Vrolijk en stralend stap je in de auto voor een heerlijk weekendje uit, maar tijdens elke rit is het weer raak: je mobiel gaat maar niet. Het signaal dat de kinderen veilig zijn aangekomen blijft uit. Twee uur kunnen ze er toch onmogelijk over doen, denk je in stilte, wat is er gebeurd? Je geliefde merkt op dat je niets meer zegt, weet precies wat er door je hoofd gaat en spoort je aan om dan in godsnaam maar even zelf te bellen; 'die rotkinderen' zijn natuurlijk weer vergeten dat hun neurotische moeder op een berichtje wacht. Er neemt niemand op. De telefoons staan zelfs allemaal uit. Kapotgegaan bij een ongeluk? Pesterijtje van Willem? De zenuwen gieren door je keel tegen de tijd dat het felbegeerde sms'je eindelijk verschijnt: 'We zijn d'r.' Eindelijk rust in het hoofd en tijd voor elkaar.

Op internet heb je een hotel gezocht, dat nogal eens tegenvalt. Een groothoeklens is misleidend. Bovendien zijn bijna alle hotelkamers in Nederland van een gelijke en sfeerloze fantasieloosheid: 'neutrale' kleuren, kunststof 'behang', en een 'tweepersoonsbed' dat bestaat uit een hoofdeind dat aan de muur is vastgeplakt en twee éénpersoons bedden die ertegenaan geschoven zijn. Net als je je eens ongeremd kunt uitleven in de liefde, is er die irritante naad tussen twee bedden, waardoor een van tweeën tijdens 'de daad' al snel in een diepe spelonk dreigt te storten. Als je tenminste zover komt, want stom genoeg doe je elke keer toch weer die televisie aan die daar zo uitnodigend in de lucht hangt, en voor je het weet stort je in slaap doordat je in je kinderloosheid veel te veel drank tot je genomen hebt. Veel te vroeg moet je weer opstaan omdat het ontbijt slechts beschikbaar is tot tien uur, en zo beweeg je je slaperig glimlachend tussen de bejaarden, die je met opgetrokken wenkbrauwen aankijken omdat ze unaniem van mening lijken te zijn dat jij het moet zijn geweest die vannacht opeens die kreten slaakte. Handenvol geld hebben we besteed aan de kunstmatige romantiek van dure restaurants en hotels in het bos, honderden kilometers gereden, voordat we moesten vaststellen dat de horeca niets romantisch heeft. Wat is er romantisch aan om steeds keurig rechtop te moeten zitten en bij elke schaterlach een verstoorde blik te krijgen van een sigarenrokende dikkerd? Hoe heerlijk is het om in trendy restaurants in de stad zo dicht op elkaar geprop te zitten dat je geen greintje privacy hebt? Wie wil er nou hotelkoffie in de ochtend?

'Zullen we nou eens lekker thuisblijven?' vraag ik op een keer voorzichtig aan Tom als ons kinderloze weekend nadert. 'Gewoon niks doen?' Geen onaangenaam strakke broek waar mijn kont zo mooi in uitkomt, geen nare beha die de boel zo prachtig opduwt, geen lippenstift die ik er toch weer in twee minuten afgelikt heb. Tot mijn opluchting stemt hij in met mijn plan: we gaan helemaal nergens heen. Ontspannen en make-uploos zwaai ik de volgende dag mijn kinderen uit en neem ik eerst eens uitgebreid de tijd voor de zaterdagkrant. Tom rukt intussen gamba's, oesters en champagne aan en huurt een paar prachtige films, waarna we ons al aan het eind van de middag in bed nestelen voor een heerlijke avond vol decadentie en liefde. Maar voor de eerste film halverwege is, is de champagne al op en zijn we in slaap gestort tussen de gamba's. Is dat romantisch? Eigenlijk wel, want romantiek, weet ik nu, is voor mij een gevoel. Het gevoel dat je krijgt op die momenten waarop je je opeens bewust wordt van een intense verbondenheid. Zo'n moment doet zich altijd onverwacht voor en kan heel overweldigend zijn: tijdens Barend en Van Dorp als ik naar de handen van Tom kijk, als hij precies op het moment dat ik er behoefte aan heb twee troostende armen om me heen slaat, in de nacht op het verlaten strand met zes kinderen en twee honden.

Romantiek laat zich niet plannen en afwezigheid van de kinderen is niet noodzakelijk. Die komt wel buitengewoon goed uit wanneer het om de passie gaat. Het vrijt minder prettig als je intussen met één oor ligt te luisteren naar wat er in huis gebeurt, of als je probeert te bepalen wiens voetstappen het zijn die je door het grind hoort weglopen. Een leeg huis is een luxe die we met al die middelbare scholieren en twee banen nog maar weinig hebben. Als het laatste kind eindelijk naar school vertrokken is, komt het eerste alweer terug: lessen vallen met grote regelmaat uit en ben je al eens thuis, dan staan ze, al dan niet in gezelschap van vrienden, voortdurend voor je neus. De enkele keren dat het huis al vroeg leeg is en wij nog niet weg hoeven, kruipen we graag nog even terug. En mocht er op zo'n moment toch opeens weer iemand door het huis wandelen, dan weet iedereen hoe het zit: streng verboden binnen te stormen! De privacy van onze slaapkamer bewaken we zo ongeveer met ons leven. Natuurlijk vertel je niet aan de kinderen dat ze maar beter buiten kunnen blijven omdat niet alles wat wij doen voor hun ogen bestemd is. Het gaat erom, vertelde ik mijn kinderen schijnheilig, dat Tom héél chagrijnig wordt als je hem stoort in zijn slaap. Het probleem is, vertelde hij op zijn beurt aan zijn jongens, dat zij absoluut nooit kinderen in haar slaapkamer heeft willen hebben. En het werkt: ze laten ons met rust. De deur hoeft niet op slot, want in opperste nood wordt er keurig geklopt en communiceren we door de deur heen.

Slechts één keer gaat dat mis, als het keurig opgevoede vriendje van Flip op een zondagochtend opeens naast ons bed staat. Midden in 'de daad' staren we hem verschrikt aan: 'Bedankt voor het logeren,' zegt hij beleefd als altijd, en ik schiet in de lach terwijl ik met één hand vergeefs probeer het dekbed snel over ons heen te trekken. Het mankeert er nog maar net aan dat we het joch een hand moeten geven, die hij normaal gesproken altijd uitsteekt. Steeds weer was ik wild van bewondering: hoe krijgt zijn alleenstaande moeder dat kind zo goed opgevoed? Het is voor hem ondenkbaar dat hij na een logeerpartij ons huis verlaat zonder een beleefd afscheid. Dus stapte hij, ongetwijfeld na keurig kloppen maar dat hebben we niet gehoord, onze slaapkamer binnen. Als hij ziet wat we aan het doen zijn, verschijnt er een brede lach op zijn gezicht: 'Tot ziens!' en weg is hij. Net als onze opwinding.

Op zaterdagmorgen helpen we zes gelijke voetbalshirts en dito broekjes in de juiste maat bij de juiste eigenaar te krijgen en staan we elk ergens anders aan een zijlijn, maar de zondagmorgen is van ons. De kinderen mogen in hun pyjama rondhangen, computeren of televisiekijken, zo veel brood met zoete troep eten als ze maar willen en desnoods de hele keuken onder de hagelslag strooien, als ze ons maar met rust laten. Ruzie maken is taboe, want daarmee verstoor je onze vrede en daarop reageren wij als beren die uit hun winterslaap worden gehaald. Op zondagmorgen vrijen we, praten we, slapen we, verschillen we van mening, luieren we en vrijen we nog een keer, en we kijken niet op de klok. Dat doen de kinderen wel voor ons, als we eindelijk fris en fruitig beneden verschijnen en de meute ons vrolijk 'Goedemiddag!' wenst.

Voor lichamelijke intimiteit en liefde ben je nooit te oud, maar het voelt in een groot stiefgezin al snel belachelijk om met een altijd draaiende wasmachine of droogtrommel op de achtergrond romantisch te gaan zitten doen bij een intiem dineetje. Onze pogingen om de romantiek in de klassieke betekenis van het woord in onze relatie vast te houden, zijn op weinig anders uitgelopen dan het inzicht dat kaarsen, gedichten, dure wijnen en bubbelbaden er weinig mee te maken hebben. Die zorgen hoog-uit voor wat rust en gezelligheid, wat ook nooit weg is, maar de realiteit van alledag dringt zich in een stiefgezin bijna lachwekkend genadeloos en onmiddellijk aan je op.

Krijg je een tweede kans op een gezin, dan is dat geen gelegenheid om weer twintig te zijn, maar hooguit de kans om verder te gaan waar je gebleven was. Je hebt weer een compleet gezin met kinderen, en dat voelt goed, maar je zult nooit een 'gewoon gezin' worden. Want waar in het ouderwetse gezin sprake is van één sterk wij-gevoel, is er in het stiefgezin altijd weer de scheiding tussen 'wij' en 'zij'. En dat geeft een hoop aanleiding voor strijd en frustratie. Slechts op momenten van heftig gevoelde liefde, en meestal in afwezigheid van kinderen, voel ik me met Tom samen echt 'wij' en doen de kinderen even niet mee. Op vakantie in Gambia luisteren we in de nacht samen naar het geluid van boomkikkertjes, wijzen we elkaar op de volle maan die de zee verlicht, en voelen we ons heel intens samen. Maar zodra zijn jongens ons huis weer binnenwandelen, verandert mijn man in een vader, moet ik een stap terug doen en vervaagt het wijgevoel tussen Tom en mij razendsnel. Dan hoort hij opeens bij 'hen'; zeker op momenten van meningsverschil. Dan vormen wij vijven, mijn kinderen en ik, opeens weer de kern in mijn leven. Wij waren er, en zij kwamen erbij en veranderden alles.

Aan elk stiefgezin ligt liefde ten grondslag, maar niemand weet waar het op zal uitlopen, niemand kan bevroeden wat er op zijn of haar pad komt. Na een tijd van eenzaamheid of na een slecht huwelijk, misschien zelfs na een periode van rouw, kies je voor nieuw geluk. Maar wat zal het leven je brengen? Wordt jou nu toch nog het geluk gegund waar je al geen hoop meer op had, of loopt het toch weer uit op een teleurstelling? Vaak wel, zeggen de statistieken. Of je het samen overleeft, hangt vooral af van de vraag hoe hooggespannen je verwachtingen waren, hoe groot de teleurstelling precies is, en hoeveel liefde daar ter compensatie tegenover staat.

Achter de hoge rozenstruiken raast het verkeer langs het terras, terwijl het bedienend personeel krampachtig zijn best doet een sfeer van chique sereniteit te creëren. Een zacht muziekje op de achtergrond is nauwelijks hoorbaar, maar privacy hebben we wel. Niemand kan ons gesprek verstaan, de zon schijnt uitbundig op ons spierwitte linnen tafelkleed en de witte wijn smaakt uitstekend. Op de parkeerplaats die grenst aan het terras stopt een auto, zo dicht mogelijk bij het paadje tussen de beplanting door. Uit de Kia stapt een wat norsige man van een jaar of zeventig, die zich naar zijn auto toedraait zodra hij uitgestapt is en afwachtend blijft staan. Als het rechterportier langzaam opengaat komt er geruime tijd niets. De man blijft geduldig staan en onderneemt geen enkele actie als uit de auto een dikke vrouw met bril en flinterdun haar bijna naar buiten komt vallen. Ze strompelt twee stappen en werpt zich vervolgens met haar hele bovenlijf over de motorkap. Voetje voor voetje schuifelt ze naar haar man terwijl haar dikke billen recht naar achteren steken en ze met haar bovenlijf de zilvergrijze, blinkend schone auto nog een extra poetsbeurtje lijkt te geven. De vrouw schiet in de lach, duidelijk hoorbaar boven het verkeer uit, en blijft even hangen. Op het norse gezicht van de man verschijnt nu ook een lach: 'Kom nou maar,' zegt hij gespeeld ongeduldig. Ze heeft inmiddels zijn uitgestoken hand bereikt en haar lichaam opgericht, en schuifelt nu tergend langzaam achter haar man aan naar het terras. Het tempo is zo ongelooflijk traag, dat alle aanwezigen bijna gefascineerd toekijken. Welke man heeft zo veel geduld? Wie kan de moed opbrengen om op zo'n manier haar entree te maken op een stijlvol terras vol plooirokken, roze herentruien en goudomrande brilmonturen? Bij een richeltje van nog geen twee centimeter hoog heeft ze extra assistentie nodig: zo ver kan ze haar rechtervoet niet krijgen. Een ober schiet te hulp, en uiteindelijk ploft ze lachend op de dichtstbijzijnde stoel neer: 'Hè hè,' lacht ze vrolijk naar haar man, 'ik zit!' Hij kijkt haar hoofdschuddend aan alsof ze zich maar aangesteld heeft, maar geeft haar toch even een zacht kneepje in haar arm voordat hij zelf gaat zitten. Ze kijkt direct om zich heen om haar nieuwe omgeving in zich op te nemen: 'Och kijk, wat mooi, daar is een vlinderstruik!' De man knikt geïnteresseerd, alsof hij nog nooit eerder in zijn leven een dergelijke struik heeft mogen aanschouwen.

Het tafereel heeft ons gesprek onderbroken, dat net een stekelig karakter dreigde te krijgen. Ik zat nog met een kwestie in mijn maag en ik wilde mijn gelijk, maar weet niet goed meer hoe ik het gesprek nu moet hervatten. Misschien moet ik het er maar bij laten. Terwijl ons heerlijk geurende dorade wordt voorgezet, zitten we allebei zwijgend voor ons uit te kijken. Naast ons klinkt een klaterende lach uit de keel van de wankele oude dame, die met haar man inmiddels in zo'n geanimeerd gesprek gewikkeld is dat ze alles om zich heen vergeten lijkt. De man zit schuddebuikend van het lachen achter een bord zalm met toast terwijl zij in *no time* een boerenomelet naar binnen werkt.

Ik glimlach, en Tom en ik kijken elkaar aan. Vragen we ons beiden af hoe ver wij nog verwijderd zijn van de tevreden harmonie, hoeveel ruzie we nog moeten maken voordat we eindelijk 'domweg gelukkig' kunnen zijn? Als het oude stel is uitgegeten, begint de terugtocht. De man houdt zijn vrouw bij de hand en loopt net iets te hard voor haar uit, alsof hij haar wil manen tot spoed. 'Je moet even geduld met me hebben, hoor,' lacht ze terwijl ze me met twinkelende ogen aankijkt en voorzichtig een voet verzet. 'Dat heb ik toch al vijfenveertig jaar?' bromt de man goeiig. Het wordt nu een voorstelling voor het hele terras. 'Hoe houd je het zo lang met me vol?' vraagt ze met luide stem. Hij haalt zijn schouders op: 'Kom nou maar.' Als ze bij de auto zijn gekomen, klapt de vrouw zich bijna geroutineerd weer dubbel over de motorkap en stapt de man rustig in. Nieuw gearriveerde terrasgasten slaan de hangende vrouw verbaasd en bijna afkeurend gade, alsof ze haar ervan verdenken dat ze te veel gedronken heeft. Langzaam schuifelt ze naar de deur en klimt ze naar binnen. Net voordat ze de deur sluit, hoor ik nog even haar lach. Mijn blik gaat terug naar Tom, die me nu recht in de ogen kijkt en bemoedigend glimlacht. 'Ik houd van je,' zegt hij zacht.

Websites voor Stiefouders

www.stief.nl

Een puur informatieve site van de Stichting Stiefgezinnen Nederland. De site bevat wat oppervlakkige informatie over stiefgezinnen, een literatuurlijst met boeken over stiefgezinnen en echtscheiding, links naar andere sites en reclame voor de eigen stichting. Hoofdpersonen van deze stichting zijn Ietje Heybroek-Hessels en Boukje Overgaauw. De stichting heeft ook een tijdschrift: *Stiefband*.

www.stiefmoeders.nl

Een van de sites waarop stiefmoeders elkaar ontmoeten en waarop ze in een forum van gedachten wisselen over diverse onderwerpen. Er is veel plaats voor klachten over de stiefkinderen en de biologische moeder, en emoties zijn welkom. Er wordt veel getroost en iedereen hecht erg aan de anonimiteit. De meeste bezoekers zijn vaste klanten: je komt vaak dezelfde 'namen' tegen.
De site is zeer overzichtelijk opgebouwd en wordt goed beheerd. Reacties van andere gebruikers komen snel en worden als je dat wilt per mail aan je gemeld.

www.stiefouders.com

Grofweg dezelfde opzet als www.stiefmoeders.nl, maar met een wat minder professionele vormgeving en wat minder drukbezocht. Hoewel de naam van de site er wel toe uitnodigt, komen er weinig tot geen mannen voor in het forum.

www.stiefouderstichting.nl

Ook in grote lijnen een gelijke opzet als www.stiefmoeders.nl, maar hier zie je ook wat mannen tussen de gebruikers. Deze site wordt niet veel bezocht, waardoor een reactie even op zich kan laten wachten.

www.grootgezin.nl

Leuke site, waarop het samengestelde (stief)gezin een apart deel heeft. Ook hierop een forum, dat echter wat minder overzichtelijk georganiseerd is dan de andere drie stiefouderforums. Er komen zowel mannen als vrouwen op voor en de bijdragen zijn wat minder emotioneel, vaak ook wat langer en rationeler dan op de andere sites.

Feiten uit België[24]:

In België vonden (op een bevolking van in totaal 10,5 miljoen mensen) in 2005 bijna 31.000 scheidingen plaats. Er werd ruim 43.000 keer getrouwd. Grof gezegd trouwden er in 2005 ruim 4 personen op de 1000 inwoners en scheidden er bijna 3.

Er zijn in België drie typen echtscheidingen:
- echtscheiding met onderlinge toestemming: 71%
- echtscheiding op grond van een feitelijke scheiding van minstens 2 jaar: 12%
- echtscheiding op grond van bepaalde feiten (overspel, geweld, grove beledi- ging): 17%

Van de eerste huwelijken uit de jaren '80 was na 15 jaar 18% ontbonden.
Van de tweede huwelijken uit de jaren '80 was na 15 jaar 26% ontbonden.

De grootste kans dat een huwelijk in een scheiding eindigt, loopt de bevolking in het Brussels Hoofdstedelijk Gewest, en het minst in het Vlaamse Gewest.

In 60% van alle scheidingen heeft het huwelijk 10 jaar of langer geduurd.

Kinderen
Bij twee op de drie echtscheidingen zijn kinderen in het spel: bijna 40.000 kinderen per jaar zijn bij een scheiding betrokken. Dat is ongeveer 5.000 meer dan in Neder- land.

Nieuwe wet co-ouderschap[25]
Tot voor kort besliste de rechter in België in vier van de vijf gevallen dat de kinderen bij de moeder moesten wonen. Sinds september 2006 is in België een nieuwe wet van kracht, die inhoudt dat de rechter bij een echtscheiding in principe de voorkeur geeft aan het half om half verdeeld co-ouderschap. (Voorheen konden rechters die daar principieel op tegen waren het co-ouderschap afwijzen, zelfs als de ouders er zelf voor kozen.) In de nieuwe wet moet de rechter zoveel mogelijk de overeenkomst van de ouders zelf bekrachtigen: willen zij de kinderen gelijkelijk over de twee adressen verdelen, dan moet de rechter daarmee akkoord gaan. Bestaan er echter praktische bezwaren tegen en kiezen de ouders er daarom niet voor, dan moet de rechter dat ook respecteren.

Hebben de ouders geen overeenkomst kunnen sluiten, dan moet de rechter bekijken of het precies verdeelde co-ouderschap tot de mogelijkheden behoort. Alleen zake- lijke argumenten kunnen het co-ouderschap in de weg staan: één van beide ouders heeft een te drukke baan, woont te ver weg, enzovoort.

---

24 Loop van de bevolking, http://statbel.fgov.be
    Echtscheidingen in België: met of zonder kinderen: www.cbgs.be
    Toenemend aantal echtscheidingen: www.cbgs.be
25 Co-ouderschap krijgt voortaal de voorkeur: www.vrtnieuws.net

EPILOOG

Stiefliefde wilde ik mijn boek noemen. Maar dat mocht niet, want de uitgever vond het te cryptisch, te onduidelijk. 'Lezers moeten direct begrijpen waar het over gaat,' zei zij streng, 'en *Stiefliefde* is veel te vaag.'

Dat is ook zo. De liefde in een stiefgezin is een mistig geheel. Dat het gezin ontstaat uit liefde is een ding dat zeker is, maar daarna zigzagt die liefde als een voetzoeker door het huis en daarbij wordt de een harder geraakt dan de ander. Van wie houd je nu eigenlijk écht en wie houdt er nu precies van jou, van je kind of je lief? Liefde laat zich niet plannen, niet doseren en niet eerlijk verdelen: het is er of het is er niet. Een heel klein kiempje liefde kan uitgroeien tot iets prachtigs, maar het kan ook gewoon afsterven en in het niets verdwijnen. Liefde is een onduidelijk ding; daar kan ik de uitgever alleen maar gelijk in geven.

De liefde die de basis vormt van een stiefgezin, brengt vele onvermoede extra's met zich mee. Dingen waar je niet op voorbereid was en die je ook nooit gekozen zou hebben als je het voor het zeggen had gehad. Maar je had niets in te brengen: je werd verliefd en de rest ging vanzelf. Dit boek heeft willen laten zien waar je zoal tegenaan kunt lopen als je je leven laat leiden door de liefde. Iets wat je áltijd moet doen.

Yolan Witterholt

witterholt@planet.nl

BRONVERMELDING

BOEKEN

1. *Samen gesteld*
   De dynamiek van het stiefgezin
   Ietje Heybroek-Hessels, Boukje
   Overgaauw (red.) 2004, SWP

2. *Samengestelde Gezinnen*
   Over de relatie tussen stiefouders en
   stiefkinderen
   Margreet Feenstra, 2004, MOM

3. *De Stiefmoeder*
   Simon Tolkien, 2003, Uitgeverij M

4. *Burgerlijk Wetboek 1*
   – artikel 395
   – artikel 404
   – artikel 406

LEZINGEN

1. *Het zit in de familie*
   Oratie van Pearl A. Dijkstra (leerstoel
   Verwantschapsdemografie) aan de UU,
   29 oktober 2003

2. *Bloedband versus Stiefband*
   Lezing ter gelegenheid van de jaarvergadering van de SSN op 23 maart 2002,
   uitgesproken te Veenendaal door dr. mr.
   Tilly Draaisma

3. *Veranderde gezinsvormen en het wel-
   bevinden van jongeren*
   Lezing van Ed Spruijt, Martijn de
   Goede en Inge van der Valk, op het
   congres Gezinnen in Beweging van
   de Nederlandse Vereniging voor
   Demografie, oktober 2001

BROCHURES

1. *Gezag, omgang en informatie*
   Ministerie van Justitie, gewijzigde her-
   druk december 2004

2. *Als ouders gaan scheiden*
   Ministerie van Justitie, Raad voor de
   Kinderbescherming, maart 2004

ARTIKELEN

1. *Hoe de sprookjesprins het evenwicht
   verstoort*
   De hindernissen in een stiefgezin
   Anke Runia, 025 (vakblad over jeugd),
   november 2004

2. *Opvoeden in nieuw-samengestelde
   gezinnen*
   Inge de Waele, *Kiddo*, 1 februari 2001

3. *Geen gewoon gezin*
   Ietje Heybroek-Hessels, *Pedagogiek in
   Praktijk*, september 2004

4. *Stiefvader slaat terug uit onmacht*
   Mishandelde kinderen vaak uit samengestelde gezinnen
   Rinskje Koelewijn, *NRC Handelsblad*,
   22 april 2005

5. *Het integratiegezin*
   Dick Brand in *Handboek Gezinstherapie*,
   afl. 6, 1987, Van Loghum Slaterus

6. *De weg naar rust en vrede in het stiefgezin*
   Amber van der Meulen, *Psychologie
   Magazine*, juni 1999

7. *Puber Tijd*
   Boukje Overgaauw in *Stiefband* nr. 28,
   december 1999

8. *Stressen*
   Boukje Overgaauw in *Stiefband* nr. 30,
   juni 2000

9. *Moeder bepaalt je succes*
   Xandra Schutte, *de Volkskrant*,
   17 september 2005

10. *Van scheiden wordt niemand beter*
    Aleid Truijens, *de Volkskrant*,
    1 oktober 2005

INTERNET

1. *Diversiteit in gezinsvormen en levens-kansen van kinderen op langere termijn*
Pearl A. Dijkstra van het Nederlands Interdisciplinair Demografisch Instituut in Den Haag, Uit: *Bevolking en Gezin* (29)2000-2, pag. 101-132. www.nidi.knaw.nl

2. *Samenleven. Nieuwe feiten over relaties en gezinnen*
2001 J.Garssen et al. (red.)
Daarin:
Hoofdstuk 8: Niet meer samen
Mila van Huis, Arie de Graaf en Andries de Jong
Hoofdstuk 9: Hoe kinderen het gezin ervaren
Arie de Graaf
Hoofdstuk 17: Panta Rhei
Jan Latten
www.cbs.nl

3. *Trends in samenwonen en trouwen*
De schone schijn van burgerlijke staat
Uit: *Bevolkingstrends* 1e kwartaal 2004,
Jan Latten, CBS

4. *Ervaringen van kinderen met hun ouder-lijk gezin*
Maandstatistiek van de Bevolking (49) 4, pag. 12–15, CBS, A. de Graaf, 2001

5. *Weer samenwonen na scheiding of verweduwing*
Maandstatistiek van de bevolking (49) 2, pag. 17–20, CBS, Huis en Visser, 2001

6. *Kinderen van de scheiding*
Promotie van Veerle Roelants aan de Katholieke Universiteit Leuven, acade-miejaar 2003-2004

7. *Het samengestelde gezin*
Stiefouder, ik?
www.femistyle.be/nl/kids/stiefouder.shtml

8. *De valkuilen voor stiefmoeders*
www.oudersenkinderen.nl

9. *Moeders en stiefmoeders*
www.magazien.net, 27 oktober 2003

10. *12 uitspraken die je nooit en te nimmer als stiefmoeder moet zeggen!*
afkomstig van http://www.oprah.com, vertaald door Maddy, moderator van het stiefouders forum op: http://members.lycos.nl/stiefouders

11. *Nieuwsbrief van de Open Universiteit Nederland*
Nummer 39, 6 december 2001
(Aankondiging en korte samenvatting van de promotie van mr. Tilly Draaisma, met haar proefschrift *De stiefouder: stief-kind van het recht.*)

12. *De boze stiefmoeder*
www.loesje.info/gezin/boze_stiefmoeder.htm

13. *De nieuwe mama*
Tips voor toffe stiefmama's
www.angelfire.com

14. *De voordelen voor volwassenen en kinderen van het leven in een stiefgezin*
www.stief.nl/ietje/stiefvoordelen.html

15. *Wie is verantwoordelijk in een stiefgezin?*
Arno v.d. Voort v.d. Kleij, 12 januari 2005
www.interactieconsult.nl

16. *Partnerschap en ouderschap: kernprocessen in een stiefgezin*
Arno v.d. Voort v.d. Kleij, 12 januari 2005
www.interactieconsult.nl

17. *Recensie van: Stiefouders en stiefkinderen.*
    De valkuilen en oplossingen
    (Van James Bray en John Kelly)
    Dani van Scheltinga, 16 november 2000.
    Ouders Online – Boeken voor ouders:
    Stiefouders en stiefkinderen
    www.ouders.nl

18. *Eenoudergezin / De stiefvader is de nieuwe*
    boeman
    Trouw, 2 november 2001
    Te vinden op: www.lokaaljeugdbeleid.
    nl/media/nieuwsarchief

19. *'Kinderen uit stiefgezinnen blijken behoefte*
    te hebben aan rust, ritme en regelmaat'
    N.a.v. Studium Generale over het gezin in
    de volgende eeuw
    '12 april tot 10 mei elke maandag
    vanaf 20.00 uur in de Senaatszaal van het
    Academiegebouw'
    Karin Alberts, april 2004
    http://ublad.warande.uu.nl/ubladen/30/
    29/13Stiefgezin.html

20. *Informatiepagina over opnieuw beginnen*
    www.heinpragt.com/scheiding/opnieuw.
    php

21. *Kerncijfers huwen en*
    partnerschapsregistratie
    CBS, 21 april 2005

22. www.overheid.nl
    Trefwoord 'stiefouder'. Hier staan allerlei
    artikelen over de betrokkenheid van stief-
    ouders bij jeugdige delinquenten.

23. *De nieuwe mama. In één klap minnares én*
    moeder
    www.agenlfire.com/psy/natasja102,
    januari 2005

24. *Stiefgezinnen*
    Jeugdgezondheidszorg GGD-wijzer met
    kinderen 4-12 jaar-Gezinsvormen
    www.ggdfryslan.nl

25. *Tweede huwelijk of geregistreerd*
    partnerschap
    www.notaris.nl

26. *Wilsrecht*
    www.notaris.nl

27. *Gezamenlijk gezag door ouder en*
    niet-ouder
    www.notaris.nl

28. *Dossier Politiek: Voorstel van minister*
    Donner onvoldoende, stelt Fathers 4 Justice
    Persbericht Fathers 4 Justice, Utrecht 21
    januari 2005 Uit: wetsvoorstellen minister
    Donner: Kritiek F4J.
    http://1.tiscali.nl/~csnel/jz/donner-f4j

29. *Dossier Politiek: Scheidings- en omgangs-*
    regelingen worden verbeterd
    Brief uit april 2004 van minister Donner
    over omgang en gezag.
    http://1.tiscali.nl/~csnel/jz/donner-
    brief0404.html

30. *Verplicht ouderschapsplan bij*
    echtscheiding
    20 januari 2005, op www.regering.nl/ac-
    tueel/nieuwsarchief/2005/01januari/20

31. *Sociale raadslieden*
    Stadskrant Rotterdam, editie 7, jaargang
    2004
    www.stadskrant-rotterdam.nl

32. *Over echtscheiding en alimentatie*
    (Hieraan gekoppeld zitten dossiers):
    www.jurofoon.nl